La concession

roman

Catalogage avant publication de BAnQ et Bibliothèque et Archives Canada

Ory, Marc
La concession
ISBN 978-2-89031-723-9
I. Titre.

PS8629.R9C66 2011 C843'.6 C2011-941254-3
PS9629.R9C66 2011

Nous remercions le Conseil des Arts du Canada ainsi que la Société de développement des entreprises culturelles du Québec pour l'aide apportée à notre programme de publication. Nous reconnaissons également l'aide financière du gouvernement du Canada par l'entremise du Programme d'aide au développement de l'industrie de l'édition (PADIÉ) pour nos activités d'édition.
Gouvernement du Québec – Programme de crédit d'impôt pour l'édition de livres – Gestion SODEC.

Mise en pages : Julia Marinescu
Maquette de la couverture : Raymond Martin
Illustration couverture : Marc Ory (concept) et Rosamund Parkinson (réalisation)
Illustration à l'intérieur : Thomas Andrew, *The Tomb of Tusitala, the grave of Robert Louis Stevenson at Apia, Samoa*

Distribution :
Canada
Dimedia
539, boul. Lebeau
Saint-Laurent (Québec)
H4N 1S2
Tél. : 514.336.3941
Téléc. : 514.331.3916
general@dimedia.qc.ca

Europe francophone
D.N.M. (Distribution du Nouveau Monde)
30, rue Gay-Lussac
F-75005 Paris
France
Tél. : (01) 43 54 50 24
Téléc. : (01) 43 54 39 15
www.librairieduquebec.fr
Représentant éditorial en France : Fulvio Caccia

Dépôt légal : BAnQ et B.A.C., 3e trimestre 2011
Imprimé au Canada

Les Éditions Triptyque
2200, rue Marie-Anne Est
Montréal (Québec), H2H 1N1, Canada
Téléphone : 514.597.1666
Adresse électronique : triptyque@editiontriptyque.com
Site Internet : www.triptyque.qc.ca

Marc Ory

La concession

roman

Triptyque

1

Dans les rues de Paris

La rue Mouffetard, montant légèrement, tressautait devant ses yeux. Il courait. Il essuya la sueur qui embrouillait sa vue. Son cœur battait trop vite. Et ce Chinois qui avait insisté pour embarquer sa valise ! Pourquoi s'énerver ? Il n'avait que des clients chinois. Celui-ci était un habitué. Qui d'autre prenait des pousse-pousse si ce n'était l'occupant ? Même les membres du gouvernement de Valenciennes ne s'y risquaient pas. Sa respiration se fit haletante. Rien que le tambour de son cœur, les percussions de ses tempes. Il avait soif. Il avala sa salive. Elle avait un goût de sang. Bientôt, au café, il boirait. Il pensa au tintement des glaçons, à la buée sur le verre, à cette eau fraîche. Il poussait sur la barre transversale. Il avait mal aux côtes. Le dernier client ! Ses mains, moites, glissaient sur les poignées de bois. Et ces ressorts poussifs qui n'arrêtaient pas de grincer. Il faudrait les changer. Il venait de dépasser l'épuisement et entrait dans une euphorie opiacée dont il jouissait en esthète. Il travaillait ainsi, beau temps mauvais temps, dans l'espoir d'obtenir sa dose quotidienne de bonheur et d'oubli. Ce métier méprisable, avilissant, lui procurait une plus grande joie. Il lisait la rue comme une partition. Le halètement de sa respiration laissait poindre, comme atténué par une ouate brumeuse, le continuel chuintement des voitures électriques, le sifflement des tramways, les coups de klaxon épars, les éclats de voix, les bribes de conversation. Ce soir, le concert était magnifique, l'harmonie parfaite. Il se pensa l'auteur de cette composition majeure. Il se mouvait dans un ballet de formes, de silhouettes, de traînées, de tons de gris. Parfois, des traces de pastel l'entouraient de bleu ou de rose parmi les lumières des feux de circulation déformés par l'ivresse. Sa vie lui semblait une œuvre d'art. Il bruinait et, sur l'asphalte mouillé, des moires huileuses déployaient leurs tentacules. Il leva la tête. La pluie lava sa sueur. Il avala ses sécrétions avec celles des nuages. Cela avait un goût aigre doux. Des effluves de steak frites montaient à ses narines. Sur les terrasses, déjà, on mangeait. Il faillit glisser sur des feuilles mortes détrempées. Les feux de circulation jouaient les stroboscopes. Des passants lui faisaient des bras d'honneur. Certains lui crachaient dessus, l'injuriaient. Un homme prit des photos. On remplirait des fichiers. Le passager demanda qu'on l'arrête. Le Chinois remercia le coureur. Il lui tendit quatre billets de cinquante yuans.

— Gardez la monnaie, Léopold ! Merci ! À la prochaine, je vous appelle.

— Entendu. Merci, monsieur Ping.

Léopold devrait aller au bureau de change. Il détestait cela. Il regarda les billets. D'un côté, il y avait Mao Tsé Tung, et de l'autre, le Potala, le palais du dalaï-lama à Lhassa. Il plaça son véhicule à côté de dizaines d'autres, dans un stationnement souterrain de la rue de l'Épée de bois. Il s'installa à une terrasse de café et commanda une menthe à l'eau. Le garçon le connaissait. Il posa son ridicule chapeau conique sur une chaise. Il pensa à ce Lescure, l'inventeur du pousse-pousse parisien. On l'avait retrouvé, un beau jour, une tour Eiffel souvenir plantée dans le cœur. Il y avait maintenant neuf mille de ces infâmes charrettes dans la capitale. L'occupant les subventionnait. On gagnait bien sa vie.

Il regarda la rue, perçut les lumières des lampadaires qui s'allumaient. Les gens s'affairaient. Sans doute maintenaient-ils ainsi un semblant de finalité dans une vie qui s'écoulait comme la Seine dans la Manche. Ils avaient perdu la source. Il ne restait que l'hémorragie. Combien de temps allaient-ils durer? Les saumons ne remontaient plus la Seine. Une chape de plomb était descendue sur la ville. Depuis deux ans déjà. Il faisait nuit maintenant. Léopold jeta quelques pièces dans une soucoupe, se leva. Il marchait, sans but. Il aurait voulu se perdre.

2

Devant la télé

Dans la pénombre, comme chaque soir, on lança le brumisateur au plasma. Quelques secondes plus tard, le projecteur illuminait la brume cristalline. Les informations de vingt heures. Et toujours cette femme-tronc eurasienne.

— Bonsoir ! Mesdames, messieurs, voici votre journal du 13 septembre 2030.

Des reflets changeants illuminaient cinq visages. Une femme d'âge mûr, une jeune fille, un jeune homme, un petit garçon chauve et une vieille femme regardaient les informations télévisées. Plus la présentatrice égrenait ses nouvelles, plus les spectateurs rentraient en eux-mêmes. Certains projetaient leurs vies sur un fragment de brume, sur cette surface nacrée non éclairée par le projecteur. Rien de nouveau. Tout allait bien. Le gouvernement de Valenciennes venait d'allouer des subsides supplémentaires aux chômeurs. L'armée chinoise avait prêté main-forte à la milice française pour rejeter à la mer quatre cents Algériens débarqués sur la plage de La Ciotat. Un tsunami avait laissé vingt mille cadavres en Indonésie, un tremblement de terre avait ravagé un village péruvien, un pétrolier, croisant dans le passage du Nord-Ouest, avait déversé cent mille tonnes de brut dans l'Arctique, la famine sévissait toujours en Russie, et le New Jersey était au bord de la guerre civile. Les escarmouches continuaient en Antarctique. Seule bonne nouvelle, la grippe aviaire britannique avait été enrayée. Elle n'avait fait que trente mille morts. Finalement, on était bien mieux en France.

— Pierrot ! Arrête de passer à travers l'écran ! Je te l'ai dit combien de fois déjà ? Tu gênes tout le monde !

— Mais personne ne regarde, maman !

— Et qu'est-ce que tu crois qu'on fait ?

— Aucune idée !

Le petit garçon vint s'asseoir. Adélaïde, la vieille dame, s'était détournée ; elle fixait le rideau de dentelle de la fenêtre. Elle réfléchissait. À quatre-vingt-deux ans, était-ce folie de rêver d'un avenir meilleur pour sa fille et ses petits-enfants ? Si seulement elle pouvait voir son vœu se réaliser avant de mourir. Tout était devenu si morose, si déprimant, si désespéré. Elle se réfugiait dans ses souvenirs. Tout avait été si beau, avant. Le rideau se baissait, la lumière diminuait, bientôt il ferait noir, il ferait froid. Ce n'était pas uniquement son grand âge qui avait restreint les horizons. L'Occident s'était rétréci, rabougri, momifié, il disparaissait, comme avaient disparu les glaces de l'Arctique. Elle le sentait dans sa chair. Elle savait que l'essentiel était irrémédiablement perdu. Il ne restait que les vestiges d'un temps révolu. Les anciens vivaient dans ce souvenir. Ils le respiraient comme un pot-pourri. Elle ne pouvait pas communiquer ce parfum à ses petits-enfants. Ils ne comprenaient pas. Ils n'avaient pas le référentiel ni le code. Décrire son bonheur disparu aurait été obscène. Ils croyaient encore à la vie. Ils ne connaissaient rien d'autre. Devait-elle les rendre aigris et revanchards ? Devait-elle semer la discorde dans le désespoir ? Elle qui avait donné son existence à la muséologie, à l'art et à la culture ne voulait pas se retrouver embaumée au sein d'un diorama. Les vieux allaient mourir. À quoi bon s'accrocher aux splendeurs du passé ? Que restait-il du désir des nymphes de Pompéi ? Dans cent ans, qui saurait reconstituer la mosaïque de l'Occident ?

Adélaïde de Castelvieil, veuve, pénétrée de culture chinoise classique, conférencière au musée Guimet depuis plus de quarante ans, s'était sentie trahie. Elle avait misé sur le bon cheval au-delà de ses plus folles espérances. Elle chérissait toujours ce mirage d'une Chine sophistiquée. On la pensait traîtresse, vendue, collabo. Elle lisait le journal d'un jeune homme de la concession française de Shanghai, au milieu du XXe siècle. Elle suivait, au Collège de France, les cours du professeur Ping, un spécialiste de l'influence d'Alexandre le Grand en Orient et du gréco-bouddhisme.

La vieille dame détourna les yeux du rideau de dentelle. Son regard caressa les téléspectateurs, ensemble, mais si seuls. Elle regarda sa fille, Émilie. Son unique enfant semblait partie à la dérive. Son mari, Hervé Lamaury, économiste à l'École de guerre économique, était tombé, il y avait un an, de la fenêtre de son bureau, du quatrième étage. Il avait écrit des essais très documentés sur les liens entre les organisations mafieuses chinoises établies en France, les fameuses triades, les dirigeants politiques chinois et leurs hommes d'affaires. Il avait montré l'influence grandissante du milieu corse dans ce réseau interlope. L'empire du Milieu n'avait jamais aussi bien porté son nom. Lui qui laissait toujours les volets fermés, qui détestait les courants d'air, tomber de sa fenêtre, quelle malchance ! Hervé n'avait pas d'assurance-vie. Émilie retourna dans l'enseignement. Agrégée de lettres et musicienne, elle trouva un poste de professeur de français dans un collège privé. Elle donnait des leçons de violon. Sa fille, Camille, commençait son nouvel emploi, mais il y avait Petit Pierre, dix ans, leucémique. Camille tournait rêveusement sa cuiller dans sa tasse. Pierrot se retenait de passer à travers l'écran ; son pied droit frappait en cadence le bord du canapé. De la cuisine parvint une légère sonnerie : le réfrigérateur annonçait qu'il passait une commande au centre commercial pour remplir ses étagères.

Alfred, le petit robot de compagnie d'Adélaïde, s'avança de sa démarche légèrement saccadée. L'androïde chauve tendit à sa maîtresse deux pilules roses et un verre d'eau.

— Madame, vos pilules.

— Merci, Alfred ! dit-elle après avoir avalé ses médicaments et rendu le verre à son compagnon domestique. Elle lui serra gentiment la main et lui sourit. Elle aimait la texture soyeuse de ses doigts. Que de progrès depuis le modèle précédent ! Alfed lui rendit son sourire. Il s'en retourna vers la cuisine. Petit Pierrre étendit sa jambe. Les crocs-en-jambe, c'était sa spécialité. L'androïde contourna l'obstacle et se retourna vers l'enfant.

— Ce n'est pas gentil, monsieur Pierre !

— Pierrot ! Tu vas prendre une fessée, lança Émilie.

Un jeune homme croisa le regard d'Adélaïde. La vieille dame sourit à Léopold Francœur. Elle avait toujours eu de l'affection pour lui. Diplômé du conservatoire, option percussion, il remplaçait le titulaire de l'orchestre des Champs-Élysées quand celui-ci devait jouer du triangle. Lire une partition et taper sur une barre de fer habillé comme un pingouin, quel destin ! Personne ne l'y avait obligé cependant. Il vivait, assez bien, en tirant un pousse-pousse pour l'occupant. Adélaïde était moins fière de cela. Comment pouvait-il s'avilir ainsi ?

L'émission achevait. La speakerine prenait congé de son auditoire :

— Mesdames, messieurs, excellente soirée !

3

Camille

Ce liquide blanchâtre, grumeleux, visqueux, elle en aimait la texture et le goût. Elle le dégusta à petites lapées puis l'avala. Camille Lamaury sentit cette liqueur napper sa gorge. Elle s'essuya les lèvres. Elle adorait son cappuccino. À la terrasse d'un café, elle regardait les passants. Ils se profilaient dans la nuit comme des météores lumineux lancés dans l'espace. Aussi inexorablement déterminés et peu empreints de liberté que ces missiles cosmiques. Elle eut pitié d'eux. Ils étaient persuadés de leur libre arbitre. Pauvres êtres ! Elle les percevait telles des traces de souffrance catapultées dans le temps. Cela lui faisait mal. Elle savait qu'elle n'était, comme eux, qu'une entité égarée dans l'univers. Elle crut distinguer les vibrations de leur être alors qu'ils marchaient le long des trottoirs. Elle sentit leur présence fantasmagorique. Elle vit leur éclat de lucioles réclamant, auprès d'eux, d'autres âmes perdues. Elle entendit ces sons, était-ce une musique ? Était-ce une harmonie ? Cela aurait été terrifiant. Elle pleura. À vingt-trois ans, elle aurait dû être fière de son parcours sans faute : maîtrise en histoire de l'art, diplôme de deuxième cycle de l'école du Louvre, classe préparatoire au concours de conservateur du patrimoine. Elle n'était jamais lasse de ce monde ancien ni de l'antiquité grecque et romaine. Lamaury entreprenait un tournant décisif dans sa carrière : elle allait commencer un stage au nouveau Musée des arts de la Chine. La richesse de sa vie publique ne faisait que souligner l'indigence de sa vie privée. Elle jouissait de la beauté et du sublime dans les arts, mais où donc se trouvaient la beauté et le sublime dans son existence ? Elle n'avait pas sa pareille pour donner une âme aux objets inanimés, mais elle se pensait sans âme dans un monde sans cœur. Elle se sentait vide, creuse, une vraie cruche bon chic bon genre. Elle aurait voulu être remplie de douceur, de tendresse. Dans son environnement sophistiqué, elle ne percevait que mesquinerie, mercantilisme et turpitudes. Une nuit, elle vit, en cauchemar, dans un défilé de mode, des pestiférés pustuleux défilant dans d'élégants costumes. L'art lui procurait des stimulations intenses, mais il devait y avoir plus, dans l'existence, que de s'extasier devant une sculpture. Le grand frisson, l'extase, elle les attendait toujours.

Certes, elle avait eu des aventures. Elle avait été amoureuse, elle avait été déçue, elle avait été trahie. Son dernier petit ami l'avait quittée il y avait trois mois ; elle l'avait déjà presque oublié. Elle se demandait si elle était normale. Ses copines lui racontaient, avec moult détails, leurs torrides histoires de jambes en l'air. Camille avait honte d'avouer que c'était bon, sans plus. Peut-être était-elle tombée sur des handicapés, sans doute devait-elle se faire soigner ? Était-ce elle, la catastrophe, ou eux ? Pourquoi s'était-elle attiré cette collection d'invalides ? Quelle que fût la réponse, la perspective n'était guère joyeuse. Les humeurs circulaient, le corps exultait. Il devait y avoir plus. N'avait-elle pas lu tant de livres qui démontraient qu'il y avait plus, beaucoup plus, des mondes inconnus à découvrir, le grand amour, l'extase ? Elle, l'athée, aurait aimé la chair comme un tapis de prière. Elle se promit d'aller consulter un spécialiste. Devrait-elle voir un psychologue ou un sexologue ? Elle était perplexe.

Elle était mignonne pourtant, menue, noirs cheveux courts et yeux de jais. Sans doute restait-elle trop en retrait. On ne devient pas aguicheuse par décret. Elle avait peur de ne pas avoir assez faim, de manquer de désir. Elle n'avait pas rencontré l'homme qui l'eût fait désirer comme elle aurait aimé le faire, à la folie, à en mourir. Son expérience sexuelle la plus intense, elle l'avait connue avec une femme. Non qu'elle fût lesbienne. Il n'y eut qu'une fois. Elle était triste ce soir-là et avait trop bu. Véronique était toute charmeuse. Camille ne se rappelait pas comment cela avait commencé, mais très bien comment cela avait fini. Elle était restée passive, au grand dam de Véro. Des caresses si bien placées, des baisers si doux, une langue si sensuelle. Seule une femme pouvait connaître ainsi un corps de femme. Elle avait joui comme jamais. Les hommes pénétraient en elle comme ils garaient leurs voitures. Après, ils claquaient la porte. Elle désirait un mâle qui la remplirait de sperme et de tendresse, dont elle sentirait la force, l'intelligence et le pouvoir. Si jeune, on doit toujours rêver.

Héloïse Lambert, conservatrice du Musée de la chasse et de la nature et son mentor à l'École nationale du patrimoine, lui avait dit :

— Mademoiselle, si vous voulez faire avancer votre carrière, vous ne le ferez qu'en tissant votre réseau parmi les mécènes et les collectionneurs. Vous devrez employer toutes les ressources de votre intelligence, de votre sensibilité, de votre jugement. Vous devrez faire jouer tous vos atouts. Est-ce que je me suis fait bien comprendre ?

L'élève avait peur d'avoir trop bien compris. Elle, la spécialiste de Watteau, s'était fait imposer un stage de dix-huit mois au nouveau Musée d'art chinois qu'on construisait au milieu du Champ-de-Mars, en face de la tour Eiffel. Le bâtiment reprenait la forme, en trois dimensions, des deux idéogrammes, Zhong Guo, signifiant empire du Milieu. Après, elle effectuerait un voyage d'études à Shanghai. Lambert avait été parachutée par le gouvernement de Valenciennes et était en bons termes avec les Chinois. Camille avait pensé refuser, mais elle aurait sabordé sa carrière. Ce poste, bien rémunéré, était indispensable aux besoins de sa famille.

Mais qu'est ce que Léopold fabriquait ? Cela faisait une heure qu'elle l'attendait. Il apparut enfin, essoufflé et échevelé. Ils se firent la bise. Il s'assit, commanda un demi et demanda :

— Comme ça, la nuit, tu prends un café ! J'imagine que le matin tu prends de la valériane.

— T'as tout compris !

— Comment va Petit Pierre ?

— Pas bien. Sa leucémie s'aggrave. Il lui faudrait une greffe de moelle, mais, sans piston, maman n'arrivera jamais à le faire entrer à la Pitié-Salpêtrière. Depuis que le gouvernement précédent de Sophie Lalonde a mis en banqueroute la sécurité sociale, le commun des mortels n'a plus de soins adéquats.

— Tu pourrais faire intervenir Lambert ; elle pourrait certainement vous aider.

— Tu n'y penses pas ! Je lui serais redevable. Déjà qu'elle sort avec Véronique, je ne voudrais pas qu'elle commence à me tourner autour.

— Et la vie de Pierrot dans tout ça ?

— Tu veux me donner mauvaise conscience ? Tu sais qu'en plus il rêve de devenir pilote d'avion. Cela me tue ! La seule chose que je puisse faire, c'est de l'amener faire voler son cerf-volant au bois de Vincennes.

— Et ta maman, comment prend-elle ça ?

— Tu es incroyable ! Son fils va mourir ! Comment veux-tu qu'elle prenne ça ! Avec le sourire ? Elle est désespérée !

— Est-ce qu'elle prend des tranquillisants au moins ?

— Elle se gave de Parzoc et de Naxas du marché noir. Je me demande comment elle fait pour travailler. Tu sais bien que le régime veut favoriser la contrebande de drogues qui est dans les mains de la mafia chinoise.

— Juste retour des choses ! Les guerres de l'opium, tu connais ?

— T'es infâme ! Vas-y ! Fais-moi tes leçons d'histoire ! Regarde ! Regarde-les ! Ils sont beaux ! Regarde-les, les passants, yeux hagards, sourires hébétés, tu les vois, ils sont tous comme ça, tous ! Ahuris, drogués. Et notre famille ! J'ai honte de notre famille ! Ma mère qui se prostituerait pour sauver Petit Pierre. Ma grand-mère, folle de chinoiseries, qui est aux mieux avec le professeur Ping, et toi qui tires un pousse-pousse. On fait de beaux résistants !

— Pas si fort ! Tout le monde entend !

— Tu as les jetons ! Hein ! Tu as les jetons ! Papa ! Y a que papa qui avait des couilles ! C'est pour cela qu'ils l'ont tué.

Des touristes chinois les désignaient du doigt, riaient et se moquaient d'eux.

— On est chez nous, oui ou merde ! Regarde ! Ils nous traitent comme des macaques ! Si au moins ils restaient dans leur concession, lança Camille.

— C'est parce qu'ils ont leur concession qu'ils nous traitent comme des macaques. Arrête ! Viens ! On se barre ! On va se promener.

Ils descendirent le boulevard de Sébastopol. Les gens qui les croisaient arboraient des sourires niais.

De fluettes Parisiennes au bras de gros Chinois, la jupe fendue sur le côté, perchées sur de hauts talons, entrèrent dans une boîte de nuit en riant. Pauvres consœurs ! pensa Camille. Et dire que le gouvernement allait rétablir les maisons closes. Le Paris du XXIe siècle ressemblerait au Shanghai du XIXe. Des jeunes ondulaient en rollers, silhouettes fantomatiques. Leurs pneumatiques crissaient légèrement. Leurs vêtements phosphorescents laissaient des traces de feu. Les deux amis se firent aborder par des gamins. Voudraient-ils des pilules vertes ou rouges ? Les enfants furent gentiment éconduits. Les voitures électriques glissaient sans bruit. Camille dérapa sur une tache huileuse, prit le bras de Léopold et le garda. Depuis le temps qu'elle le connaissait, Francœur lui tenait lieu de grand frère. Elle n'avait pour lui aucune attirance sexuelle, aucun sentiment amoureux. Il n'en allait pas de même pour Léopold. Il s'était fait une raison. Il n'avait aucune chance. Ils étaient bien ensemble. Ils arrivèrent sur une petite place, entre le centre Pompidou et l'église Saint-Merri. Ils s'assirent sur un banc. La joviale fontaine, peuplée des personnages bariolés de Tinguely et de Saint-Phalle, les réjouit. Des geysers se déployaient en éventails de gouttelettes prismatiques. L'eau projetait de l'humour. Ils sourirent. Quel baume pour le cœur ! Ils marchaient maintenant sur le pont Notre-Dame. Ils s'arrêtèrent au milieu. Ils admirèrent la cité et le fleuve. Les lumières donnaient à la nuit des reflets d'or. Ils s'appuyèrent à la balustrade. Les bâtiments, reflétés dans les eaux, n'étaient que le miroir du passé. Illusion, comme la ville elle-même : ils semblaient exister. Seule la Seine, mouvante, vivait. Paris ! Être belle ainsi devrait être interdit ! Un couple s'embrassait. Un accordéoniste jouait une rengaine. Cela foutait le cafard. Un homme titubait. Camille sut qu'il n'allait pas tarder à se jeter à la baille. Plus tard, heureusement. Des vacanciers chinois, livres à la main, déclamaient des passages de *Du côté de chez Swann.*

— Passer des nouilles au soja à la madeleine de Proust, c'est un saut quantique, lança Léopold.

— C'est tout à leur honneur ! De toute façon, les madeleines, c'est eux qui les fabriquent !

— Faut-il le regretter ?

— C'est vrai. Nous avons eu tout notre temps.

Ils marchaient, en silence, dans l'île de la Cité. Ils se rappelaient comment tout avait commencé.

Cela était arrivé imperceptiblement. L'École de guerre économique (EGE) avait pourtant donné l'alarme, en vain. Une à une, les grandes entreprises étaient tombées aux mains de compagnies chinoises : l'aérospatiale, EADS, les secteurs pharmaceutique et cosmétique, les parfums et produits de luxe, l'automobile, la mode. Seule la compagnie de lingerie féminine de Roxanne Mathoss y avait échappé. Le gouvernement français essaya de s'opposer aux prises de contrôle, mais le Conseil de l'Europe et l'Organisation Mondiale du Commerce lui mirent des bâtons dans les roues. On voulait du fair-play. Messieurs les Chinois, tirez les premiers ! Quelle classe ! Les administrations précédentes avaient battu leurs coulpes pour l'esclavage, le colonialisme. On persévérait. Il fallait être masochiste à défaut d'être sadique. Les anciennes puissances tutélaires de la Chine – l'Angleterre, les États-Unis, la France et l'Allemagne – présentèrent leurs excuses pour les exactions commises au début du siècle précédent. Cela ne fit que donner du combustible à la nouvelle équipe dirigeante chinoise. Le Dragon, qui depuis des années se renforçait, mais gardait un profil bas, un jour se leva et laissa aller, sans complexes, sa xénophobie et sa violence.

La France avait sombré sous la présidente Sophie Lalonde. Elle avait été élue à la suite du soulèvement des trois quarts de la population qui ne supportaient plus de vivre dans la faim, la précarité et le désespoir alors que l'élite affichait une jouissance obscène. Lalonde continua sa politique de l'autruche, irresponsable et démagogique, perpétuant un monde irréel et illusoire. La classe moyenne avait pratiquement disparu. La jeunesse se montrait dépressive et suicidaire. Les travailleurs voulaient conserver des avantages acquis, des régimes spéciaux intenables, et manifestaient un nombrilisme décadent. L'immobilisme, l'égoïsme, étaient érigés en dogmes. Le droit de grève, de nuire, était aussi fondamental que le privilège des Américains de porter une arme à feu. Le Français se révélait de plus en plus borné et obstiné. Il ne fallait surtout pas lui dire des vérités qui le fâchent, mais l'entretenir dans ses fantasmes.

Une prostituée racola Léopold. Ils sortirent de leur rêverie et contournèrent Notre-Dame en se promenant dans le jardin. Depuis plus de huit cents ans, une volée d'arcs-boutants soutenait l'édifice. Les deux amis les admirèrent. Tiendraient-ils encore longtemps ? Ils voulurent mettre les pieds sur le pont Saint-Louis. Des sentinelles chinoises le leur interdirent. La garde passait la relève. Les soldats lançaient haut leurs jambes et leurs bras en gestes saccadés. Camille et son compagnon regardèrent l'île Saint-Louis. Ils ne rentreraient pas dans la concession. Le drapeau rouge flottait sur l'hôtel de Lauzun. Ils rebroussèrent chemin.

4

Champ-de-Mars

Au Champ-de-Mars, assise sur un banc, Camille observait des dizaines d'ouvriers français et asiatiques en train de creuser les fondations du futur Musée d'art chinois. Des pelles mécaniques et des camions circulaient sur le chantier, au centre même de la place. Ce lieu, témoin en 1790, de Louis XVI prêtant serment à la Constitution, de La Fayette, l'année suivante, faisant tirer sur la foule, des expositions universelles enivrant l'atmosphère au XIXe siècle, vivait, en ce jour, un changement crucial. Camille avait vu les plans de l'édifice à venir. Ce serait un monstre. Il aurait cinq cents mètres de hauteur, soit deux cents mètres de plus que la tour Eiffel, et occuperait toute la largeur du Champ-de-Mars. Le symbole de la France, qui se trouvait à l'une des extrémités de la place, ressemblerait à un cure-dents. Le grand Paris des présidents précédents se trouvait à jamais anéanti.

Écrire le nom d'un pays, l'empire du Milieu, en idéogrammes de verre, de béton et de matériaux composites, représentait un formidable défi. Le calligraphe le plus réputé avait tracé, sur du papier de riz, lors d'une cérémonie grandiose sur le parvis de Notre-Dame, Zhong Ghuo, les deux caractères fatidiques. Les architectes chinois avaient pour mission de rendre, en trois dimensions, le mouvement et le style de la calligraphie. Le Français le plus timoré se sentait marqué au fer rouge. On crut voir, dans les églises, des christs saigner. La France avait fait perdre la face à la Chine, à la fin du XIXe siècle, lors de la signature de traités commerciaux iniques et de la création de concessions étrangères. La Chine faisait perdre la face à la France en établissant un musée qui rendait la tour Eiffel complètement ridicule. Elle occupait le centre de la nation et avait détruit l'image de celle-ci en y substituant la sienne. Le gouvernement, qui s'était établi dans la ville de Valenciennes à la suite de la gestion catastrophique de la présidente Sophie Lalonde et d'un coup d'État téléguidé par les Chinois, avait mis tout son poids derrière ce projet. Tout avait été fait pour rendre acceptable aux Français cette entreprise délirante. L'État chinois financerait entièrement les travaux, dont les coûts s'élèveraient à quatre cents millions d'euros. La France resterait propriétaire de l'édifice et de ses collections. De nombreuses pièces seraient prêtées par le musée Guimet et le musée Cernuschi, mais la majorité des collections viendrait de dons de musées chinois continentaux et surtout du National Museum Palace de Taiwan, l'île ayant été réintégrée, par la force, à la République populaire de Chine. De nombreux riches collectionneurs chinois avaient fait don d'œuvres majeures.

À la tête d'une équipe de muséologues, Camille serait chargée de décrire les œuvres, de rédiger des notices, d'établir les provenances, de faire le récolement et l'inventaire. Elle s'occuperait également d'une autre tâche : elle serait membre de l'équipe chargée de l'aménagement intérieur du musée. Ce collège d'architectes et de designers, chinois et français, était dirigé par l'architecte en chef Yu Chi Ming. Lamaury entreprendrait également, avec dix personnes, la mise en espace des expositions. Lambert avait donné ce poste prestigieux à Camille malgré son jeune âge. Elle lui avait fait entendre que Yu était un homme influent qu'il ne faudrait pas décevoir. Lamaury se demandait à quoi pouvait ressembler ce Yu, si elle arriverait à s'entendre avec lui. Un vent frais chassait un troupeau de cumulus. Des feuilles virevoltaient et des papiers s'envolaient. Camille leva la tête et fut aveuglée par cette luminosité mouvante. Son regard revint au chantier. Au sol, des ombres immenses et changeantes se poursuivaient, se dévoraient. Elle se demanda dans quel guêpier elle s'était fourrée. Certes, une telle occasion, au début de sa carrière, était inespérée. Elle se sentait cependant coupable de participer à un projet si controversé, qui pourrait nuire à tout avancement si le régime de Valenciennes tombait. Les promotions contractuelles prévues permettraient d'assurer les frais médicaux de Petit Pierre et peut-être même de le faire admettre à la Pitié-Salpêtrière.

La poussière sous ses pas ne serait plus la même. La perspective du Champ-de-Mars serait à jamais altérée. La France n'aurait plus de perspective. Elle allait participer à tout cela. Elle crut que les passants la dévisageaient. Les moineaux eux-mêmes semblaient l'éviter. Elle tenait sa tête dans ses mains. Elle se leva et marcha vers la tour Eiffel. Elle sentit un regard peser sur elle. Elle se retourna.

5

La Potée des Halles

À la Potée des Halles, un bistrot de la rue Étienne-Marcel, en ce début d'après-midi, le brouhaha des heures d'affluence semblait encore imprégner l'atmosphère. Le tintamarre des chaises, les éclats de voix des garçons, le vacarme des conversations, les éclats de rire, le tintement des verres, le «pop» des bouchons qui sautaient, tout cela perdurait, écharpes fantômes des heures précédentes.

Sur les murs, des carreaux de faïence vernissée, du plus pur Art Nouveau, affichaient les figures allégoriques de femmes drapées représentant le Café et la Bière.

Adélaïde de Castelvieil et sa nouvelle camarade de travail, Ludmilla Alexandrova, récemment arrivée du musée de l'Hermitage, buvaient leur thé, seules, au fond de la salle. Ludmilla et Adélaïde participaient à un échange d'accompagnateurs bénévoles. De Castelvieil partirait un mois à Saint-Pétersbourg et Ludmilla passerait un mois au Guimet. Le potage aux poireaux et l'entrecôte bordelaise arrosée d'un beaujolais n'étaient qu'un souvenir. Ludmilla dégustait, à petites bouchées, sa crème renversée. Elles seraient les meilleures copines du monde.

— Mais comment la France, ce pays que j'admire, a-t-elle pu sombrer dans une pareille infamie? J'ai lu des articles, des éditoriaux. Je n'ai jamais pu comprendre comment vous avez pu tomber si bas, lança la Russe.

Le barman essuyait ses verres, en inspectait l'éclat.

— Oh ! Vous savez, la collaboration, hélas, on connaît ça ! C'est une longue histoire, mais je vais essayer de vous la résumer. L'Orient était descendu sur nous comme une coulée de lave. Le monde avait été complètement restructuré par la crise financière de 2008. L'État providence était proche de déposer son bilan. L'économie française était aux mains d'intérêts chinois et l'empire du Milieu voyait cette débâcle d'un mauvais œil. Les services de renseignement de Pékin, le Guoanbu, accélèrent leurs efforts de déstabilisation du gouvernement Lalonde. Des agitateurs avaient infiltré les organisations syndicales, les média, l'armée. Le Guoanbu ciblait les parlementaires et les personnalités politiques et distribuait des rétrocommissions. Des personnes clés du gouvernement ou de l'industrie, ayant bénéficié de faveurs occultes, étaient l'objet de chantages et roulés dans la farine. Le gouvernement signa un accord de coopération militaire. Chaque pays s'engageait à aider l'autre, à sa demande, si l'intérêt supérieur de l'État était en jeu. Il était évident que les trois millions de soldats de l'Armée populaire de libération apprécieraient grandement le secours que les soixante mille militaires français pouvaient leur apporter... Deux bases militaires chinoises totalisant cent mille hommes firent le bonheur de leurs villes hôtes. Certains n'appréciaient point l'arrivée de ces hommes bourrés de testostérone, privés de femmes à la suite de la politique de l'enfant ou du garçon unique. Les grèves paralysaient le pays. L'armée n'arrivait plus à contenir les foules et à mater les émeutes. Un putsch fit tomber l'administration Lalonde, qui s'exila à l'étranger.

Un homme d'un certain âge entra et s'assit à une table. De Castelvieil le salua de la tête. C'était Georges, un conférencier du Guimet.

— Bon ! Qu'est-ce que je disais déjà ? Ah oui ! Donc, les putschistes mirent un civil, Alexandre Vodor, à la tête d'un gouvernement de salut public. La nouvelle équipe dirigeante s'établit à Valenciennes, dans les bâtiments de la gare. Vodor demanda un soutien militaire à son partenaire chinois. La Chine, voulant s'attirer la faveur populaire, proposa à la place une aide économique, une espèce de plan Marshall. Des denrées furent distribuées gratuitement, du pétrole et du gaz fournis à des taux dérisoires, de généreux subsides aidèrent les plus démunis. La scène était prête. Il s'agissait de trouver un prétexte. Des collégiennes de Shanghai furent violées par un groupe de malfrats parisiens. Des soldats chinois en permission furent horriblement assassinés. À Pékin, le président Wang Ming Chang ne pouvait plus maîtriser la fureur populaire qu'il avait habilement orchestrée. On demanda des représailles terribles, une vengeance exemplaire pour ces diables blancs qui insultaient la Chine depuis plus de cent ans. La rue exigeait l'établissement d'une concession à Paris. Le gouvernement collaborateur de Vodor acquiesça. On vida l'île Saint-Louis de ses habitants. Le drapeau rouge flotte sur les quais de la Seine. Voilà où nous en sommes.

Ludmilla avait l'air sincèrement navrée.

— J'espère que tout va s'arranger pour le mieux, dit-elle, émue.

Adélaide lui tapota la main.

— Merci ! Je l'espère aussi.

De Castelvieil avisa Georges, qui les regardait. Il jeta par la suite des notes sur un carnet.

— Non ! Pas lui, pensa Adélaïde.

Elles se levèrent. La Bière, le bras levé, semblait leur dire au revoir.

6

Yu Chi Ming

— Des juifs éthiopiens, passe encore ! Mais des juifs chinois ! Alexandre, vous plaisantez ! avait lancé un jour Lambert au président Vodor.

Yu Chi Ming n'avait pourtant rien d'une plaisanterie alors qu'il regardait une jolie Française, aux cheveux noirs coupés à la garçonne, se diriger vers la tour Eiffel. Il arborait, certes, une drôle de tête pour un Chinois. Dans le Sud, on le traitait de *Ba Gui Lô*, de « diable blanc ». Ses yeux étaient bridés et ses pommettes saillantes, mais il avait la peau pâle des Occidentaux. Ce qui ressortait comme le nez au milieu du visage, justement, c'était son nez, aquilin et non écrasé comme celui de la plupart de ses concitoyens. C'était un « long nez », un barbare en somme. Il se situait toutefois plus haut sur l'échelle des valeurs qu'un *Ank Gui Lô*, un « diable noir », pour tout dire, un nègre. Svelte et élégant, c'était un fort bel homme.

Sa mère, Rébecca, une juive de Hong Kong, avait eu une courte relation avec Jou Tsoung Ming, un Chinois han, et c'est ainsi que Yu était né. Rébecca l'avait fait inscrire avec tout son pedigree. Souffrant de dépression post-natale, elle ne put s'occuper de l'enfant. Jou, qui aurait pu être soumis à un test ADN, reconnut son fils et le plaça immédiatement chez Deng, un vieil oncle de Shanghai. Il était trop infamant d'avoir un fils qui arborait cette tête horrible et qui lui rappelait cette femme d'un soir. Deng était mauvais comme la peste, le battait et l'injuriait. « Tête de porc » était son expression favorite. Yu mangeait cependant à sa faim et allait à l'école, où il décida de briller. Il obtint plusieurs bourses et s'affranchit rapidement de la tutelle de Deng. Après la rétrocession de 1997, Rébecca resta quelques années à Hong Kong puis gagna Israël.

Yu se promenait souvent sur le Bund, le long du Huang Pu, dans l'ombre des gratte-ciels, fourmi parmi les fourmis. Il se demandait ce qu'il allait faire de sa vie. Il avait lu une biographie de Benjamin Franklin et s'était émerveillé des expériences de celui-ci sur l'électricité à l'aide de cerfs-volants. Recherches qui, soit dit en passant, avaient failli coûter la vie à l'illustre Américain. Yu aurait voulu devenir ingénieur en génie électrique mais avait bifurqué vers l'architecture, branche dans laquelle il y avait plus de travail. Son intérêt pour les cerfs-volants ne l'avait cependant jamais quitté.

Yu Chi Ming était un étranger dans son propre pays. Bien qu'à un si jeune âge sa carrière se présentât sous les meilleurs auspices, il sentait toujours le mépris de ses compatriotes. Sa chair était une trahison. Le gouvernement ne reconnaissant pas les juifs comme une minorité, ceux-ci devaient s'identifier comme Hui (musulmans), ce qui était un comble, ou Han (Chinois de race pure). Yu ne se considérait pas comme juif, n'étant ni croyant ni circoncis. Son poste prestigieux d'architecte en chef du Musée d'art chinois attira l'attention des organisations sionistes, qui se penchèrent sur son cas et essayèrent en vain de le convertir. La judaïté se transmettant par la mère, pour les juifs, il était juif, qu'il le veuille ou non. Il en profita pour acquérir des renseignements sur l'histoire de sa soi-disant communauté.

Marco Polo, déjà, attestait d'une présence juive. Les hypothèses les plus délirantes s'échafaudèrent pour expliquer ce phénomène. L'une d'elles voulait qu'ils fussent l'une des tribus perdues d'Israël, ce qui dénote un étonnant manque de sens de l'orientation. Il semblerait que les Israélites soient arrivés au IXe siècle, par la Route de la soie, venant de Perse ou d'Inde en passant par l'Afghanistan. Ils se seraient installés à Kaifeng, dans la province centrale du Henan, alors capitale de la dynastie Song. Ils vécurent dans un isolement total, élaborant un judaïsme teinté de confucianisme jusqu'au XVIe siècle, où le père jésuite Matteo Ricci, venu évangéliser la Chine, entra en contact avec le mandarin juif Aï Tian.

Au XIXe siècle, à la suite de la destruction de la dernière synagogue, la communauté s'était presque éteinte. Après l'inique traité de Nankin, en 1842, les Anglais occupèrent cinq ports, dont Shanghai, sorti des marais, autrefois petit village de pêcheurs. Des commerçants juifs, les Sassoon, les Hardon, les Kadouri, furent les premiers à s'y installer, établissant des dynasties et de colossales fortunes principalement fondées sur le commerce de l'opium.

Dans les années trente, les Japonais, qui avaient conquis la Mandchourie, voulurent créer un État juif. Toujours friands du mot juste, ils élaborèrent un plan du nom de Fugu, le poisson, délice gastronomique dont la poche de venin, si elle n'est pas retirée adéquatement, peut tuer celui qui le mange. Les rabbins ne voulant pas collaborer avec les Japonais, le projet avorta. Lors de la Seconde Guerre mondiale, quand les juifs fuirent l'Europe, la Chine les accueillit. Une vingtaine de milliers de réfugiés s'y rendirent et s'établirent près de Shanghai, venant d'Autriche par le canal de Suez ou de Russie et de Lituanie par Vladivostok. Grâce à ses concessions étrangères, Shanghai était la seule grande ville du monde où un visa n'était pas requis. En 1949, à la fondation de la République populaire de Chine, la plupart des juifs quittèrent le pays pour aller s'installer en Israël.

Yu se sentait coupable d'avoir des ancêtres qui avaient fait le commerce de l'opium et empoisonné son peuple. Arrivé en France, intrigué et curieux, il visita plusieurs synagogues, assista à des services religieux. La pesanteur des symboles et des rites l'accabla. Même les chants des cantors n'arrivaient pas à l'émouvoir. Il n'était pas juif. Une affaire de réglée.

7

La Foire du Trône

Belette enragée se promettait une amusante et fructueuse soirée : Fany Nachel était si naïve ! Il avait bien dû choisir un nom de code. Après tout, il était l'un des membres influents de la résistance, loin, certes, derrière Roxanne Mathoss, la chef. Fany, rédactrice au journal féminin *Marielle*, ferait circuler les faux renseignements qu'il lui distillerait. Il mélangerait, en un savant cocktail saupoudré de quelques faits, les mensonges éhontés et les demi-vérités. Elle avait toujours été, à son insu, sa meilleure porte-parole, son chef de la propagande. Ses fuites incontrôlées alimenteraient le ressentiment de la population. Les Français se nourrissaient de fiel. Fini le miel des illusions. Plus les renseignements étaient énormes, plus ils étaient crédibles. Le monstrueux était le plat du jour, la haine, le parfum du moment. Mademoiselle Nachel, comme on l'appelait dans son milieu, pensait jouer sa vie au contact de la Belette. C'était très excitant. La journaliste se doutait que les cheveux bouclés du résistant étaient une perruque, sa barbe un postiche, son embonpoint un leurre. Quelle vie trépidante elle menait ! Une vraie Mata Hari !

Ils se rencontrèrent à la sortie du métro Porte Dorée.

— Ne vous retournez pas, on nous file ! lâcha-t-elle, après quelques minutes de marche silencieuse.

La Belette prit un air inquiet. Il n'avait pas besoin de vérifier; c'était Joseph, auquel il avait commandé cette filature factice. Il avisa un homme qui les suivait. Il ne l'avait pas engagé, celui-là. Ils approchaient de la pelouse de Reuilly, près du bois de Vincennes. Ils croisèrent un vieux monsieur qui accrochait la cage de son serin à la branche d'un arbre. L'oiseau avait le corps teint en blanc, une aile bleue et l'autre rouge. Il gazouillait joyeusement. Des retraités avaient transformé ce passe-temps chinois en un signe de résistance. On ne comptait plus, dans les parcs, les perroquets et les mainates chantant *La Marseillaise*, appelant aux armes et aux ruisseaux de sang. Une petite fille, l'air grave, passa, tenant précieusement une minuscule cage contenant des lucioles. Des Chinois se mouvaient lentement au rythme du taï chi. Non loin, deux « Hexagonaux » disputaient un combat de boxe française, sans contact et au ralenti, qui était depuis peu devenu la rage de la nation. Ils arrivèrent à la Foire du Trône. Le bruit des manèges et les cris des fêtards couvriraient leurs conversations. Des stroboscopes multicolores les hypnotisaient déjà. Il serait si bon de pouvoir oublier. Tout n'était sans doute qu'un méchant cauchemar. Cela sentait la guimauve et la friture. Ils se firent bousculer par des jeunes bruyants et éméchés. Le brouhaha les étourdit. Quelle paix ! Ne plus pouvoir penser. Fany et la Belette prirent, chacun, une voiture tamponneuse. Ils s'en donnèrent à cœur joie. La Belette obtint le pompon. Ils embarquèrent dans la grande roue. Ils pensaient pouvoir se parler. Paris défilait sous leurs yeux en un ruban de velours noir, serti de diamants, de topazes et de rubis. Leurs yeux, grand ouverts, aspiraient la nuit. Leurs bouches restaient fermées. Trop de sensations. Autant profiter de ce lieu d'évasion. Il faudrait bien, par la suite, regagner sa prison.

Ils firent deux tours de montagnes russes. Ils crièrent de peur. Les accélérations les collaient à leurs sièges. Ils se retrouvaient en rotation, à l'envers, à l'endroit. Tout était permis, possible. Ils descendirent en titubant du manège et allèrent prendre une bière.

— Assez rigolé ! Faut qu'on parle. Personne ne nous file maintenant, lança Fany tout en arrangeant ses cheveux.

La Belette regarda autour de lui, but une gorgée. Joseph était parti depuis longtemps.

— Détrompez-vous ! Ils se sont relayés. Ils ne nous ont pas quittés des yeux. Le mec de faction, maintenant, c'est celui qui porte un ciré noir et qui fait semblant de lire son journal. Ne vous retournez pas. Vous le verrez quand on partira. On se sépare. Rendez-vous dans une heure à l'intérieur de l'église Saint-Denis du Saint-Sacrement, près du métro Saint-Sébastien-Froissart. C'est tranquille. On pourra se parler. Je prends le métro. Vous prenez le bus. Changez plusieurs fois de ligne. Semez-les. Noyez-vous dans la foule. Montrez-moi ce que vous savez faire.

— Les églises sont fermées la nuit, je vous signale !

— Pas celle-ci. Le curé organise ce soir une soupe populaire. Les portes sont ouvertes. Des clodos entrent pour cuver leur vin ou pour trouver Dieu.

Il lui chuchota quelque chose à l'oreille. Elle sourit.

— Vous êtes fou ! dit-elle.

Ils se levèrent. L'homme au ciré noir plia son journal.

8

La confession

Le parvis de Saint-Denis du Saint-Sacrement n'avait jamais été si prisé. Une trentaine de clochards se pressaient autour des tréteaux. Les bols réchauffaient des mains d'où montaient des vapeurs. Certains vagabonds buvaient, d'autres regardaient dans le vide, silencieux et hagards. Fany entra dans l'église. À la clarté des lampions, assis au milieu des colonnes, des miséreux ronflaient.

Nachel se dirigea vers un confessionnal, le premier à gauche. Elle y pénétra, s'agenouilla. Les planches grincèrent affreusement. Elle approcha sa bouche de la claire-voie et chuchota.

— Vous n'êtes pas l'homme au ciré noir, j'espère.

— Non, j'ai changé de manteau.

— Belette, c'est pas drôle !... Mon père, j'ai péché.

— Moi aussi ! C'est bon, n'est-ce pas ? Dites-moi tout, mon enfant.

— J'ai entendu qu'en province, dans des couvents désaffectés, on avait commencé le... comment dire ? L'élevage de fillettes aux pieds bandés. Une telle horreur est-elle possible ?

— Hélas, oui ! De riches marchands chinois, des dirigeants politiques et, j'ai honte de le mentionner, des membres du gouvernement de Valenciennes préparent de futures prostituées. Elles seront prêtes dans dix ans. Vous voyez, ils se croient invincibles et aiment la chair fraîche.

La pensée de jouir de telles infirmes les excite au plus haut point. Ils voudraient revenir au doux temps des Song.

— Quelle infamie ! Est-il vrai que dans la Drôme on vient de planter dix mille hectares de pavot ?

— Je vois que vous avez de bonnes sources. En effet. Dans cette région contrôlée par les militaires, la mafia chinoise, avec l'aide de ses amis corses, ensemence nos collines avec ce poison. Une partie considérable des plantations de tabac va être reconvertie à cette culture. Les trafiquants pourront impunément s'en donner à cœur joie. L'Afghanistan n'a qu'à bien se tenir. À Paris, dans les grandes cités, des fumeries s'ouvrent tous les jours. On estime le nombre de drogués à cinq millions. Des mères mettent de l'opium dans les biberons de leurs bébés.

— Mon Dieu ! Léopold ! Le copain d'une amie m'a dit que, dans les labos de recherche pharmaceutique, on injectait le virus du VIH aux résistants.

— Ne m'en parlez pas ! Douze de mes camarades ont subi ce sort horrible, et l'accès à la trithérapie leur est interdit. Ils dépérissent à vue d'œil dans les pires souffrances. Et cela n'est rien comparé à ceux auxquels on greffe des puces électroniques GPS.

— Hein ! Qu'est-ce que c'est que ça ? Jamais entendu parler.

— C'est une information trop sensible. Figurez-vous qu'on implante aux principaux résistants des électrodes GPS pour les localiser en tout temps, avant de leur rendre une liberté factice. Une fois libérée, la majorité se fait amputer la partie greffée. Ainsi voit-on des individus sans nez, sans oreilles, sans pieds, sans jambes, sans bras, sans mains. Une fois repris, on leur insère la puce dans un autre endroit. Tous rivalisent de zèle, se veulent les nouveaux martyrs. Le nombre de culs-de-jatte et d'hommes-troncs n'a jamais été aussi grand.

— Quelle infamie ! Parlant d'atrocités, avez-vous entendu dire qu'on allait ouvrir des boucheries de viande de chien et que certains restaurants en feraient leur spécialité ?

— En effet !

— Et la traite des Blanches, dois-je croire ce qu'on en dit ?

— Et comment donc ! Les disparitions, les enlèvements de jeunes filles ne se comptent plus. Des avions entiers de Parisiennes, destinées à la prostitution, se dirigent chaque jour vers Shanghai. Les maisons de tolérance vont rouvrir. La chair des jeunes Françaises est un plat fort estimé. Deux cents filles de réconfort seront offertes aux soldats chinois de la base de Carcassonne.

— Est-il vrai que les collaborateurs...

— Pas si fort !

— ...que les membres du gouvernement de Valenciennes se prosternent devant le terrible Mister Fang, le redouté chef du Guoanbu et de la lutte contre les résistants, et frappent trois fois leur front sur le sol ?

— Ah, oui ! Le fameux *kotow* ! Des sources bien informées l'affirment. Ainsi, ces ignobles personnages s'abaissent à faire ce que les ambassadeurs britanniques Lord McCartney, en 1793 devant l'empereur Quinlong, et Lord Amherst, en 1816 devant Kouang-Siu, avaient refusé de faire.

— Les salopards... À combien estimez-vous le nombre d'exécutions capitales depuis que la peine de mort a été rétablie ?

— Le gouvernement parle de cinq cents exécutions, principalement des résistants et des meurtriers récidivistes. On ne compte pas ici, bien entendu, les règlements de comptes et les assassinats masqués de nos membres.

C'est très économique, une balle dans la nuque facturée aux ayants droit. Tout cela est si déprimant.

— Allons-y d'un sujet plus léger. Je vais vous en apprendre. On connaissait les Noirs qui se blanchissent. Voici maintenant les Françaises qui se font brider les yeux et les Chinoises qui se les débrident. Vous y comprenez quelque chose ?

— J'aimerais tant ne pas comprendre !... Il vaut mieux ne pas prolonger notre entretien. Pour votre pénitence, pensez à Elle et dites quinze Je vous salue, Marie.

— Bien, mon père !

Les planches grincèrent.

9

Alfred

Adélaïde s'apprêtait à sortir. Elle regarda Alfred dormir, assis sur le divan. Elle ne voulait pas le réveiller. Ses clés tintèrent. Alfred ouvrit un œil.

— Vous sortez, madame ?

— Oui, Alfred. Je vais au musée Cernuschi. J'ai rendez-vous avec le professeur Ping. Dites cela à ma fille si elle téléphone. Rendormez-vous, Alfred.

— Bien, madame ! Merci, madame !

Le robot ferma les yeux.

De Castelvieil quitta l'appartement, ferma la porte et descendit l'escalier.

Alfred ouvrit un œil et sourit.

10

Rébecca

Tel-Aviv, le 12 octobre 2030

Chère Jessica,

Je te remercie pour ta lettre du 30 septembre. Tu m'apprends que mon fils Yu a été nommé architecte en chef d'un prestigieux musée chinois qui va ouvrir à Paris. Tu penses me faire plaisir sans doute. J'ai apprécié que tu ne m'aies pas envoyé juste un e-mail. Cette nouvelle m'a anesthésiée quelque temps. Je n'avais plus rien voulu savoir de lui. J'avais préféré l'oublier. Peut-on concevoir une mère plus indigne ! Je restais sans bouger à regarder ces mots : « Ton fils, Yu, architecte, musée, Paris. » Il me semblait que cette phrase ne m'était pas destinée. Peut-on parler de destin quand on a pris toutes les mauvaises décisions ? C'est moi qui ai choisi la mauvaise bifurcation chaque fois qu'il y a eu à choisir. Une chance sur deux de me tromper. Je me suis trompée, toujours. Je ne peux m'en prendre qu'à moi-même. Une tragédie que tout cela ! Si au moins j'étais bonne tragédienne ; même pas ! Maintenant, je suis une vieille femme. Parfois, il y a de l'amertume dans mes souvenirs, d'autres fois je ris aux larmes d'avoir été si inconsciente. Je m'enorgueillis de l'élan vital de mes jeunes années. Le temps est passé. Il ne me reste que des fantômes. J'étais jeune, belle et folle. Maintenant, je ne suis même plus folle, juste aigrie ou lucide, je ne sais pas.

La première erreur fut de me rendre à ce cocktail de la Chambre de commerce, tu sais, en 1994, tu t'en souviens, tu y étais aussi. La deuxième fut de prendre trop de champagne. La troisième fut d'aller dans une chambre d'hôtel, pas mal l'hôtel d'ailleurs, avec ce Jou Tsoung Ming, qui avait fière allure, tu me l'accorderas. Jou était l'un des experts en transport maritime de l'armateur milliardaire Tung Chee Hwa, qui devint président de la région administrative spéciale de Hong Kong. Il était seulement mignon, le Jou, rien de plus, je t'assure. Ne me prends pas pour une intrigante machiavélique. Joli minois ou pas, résultat, je suis tombée enceinte.

Il faut toujours que je fasse les choses les plus stupides. C'est la vraie liberté, le vrai luxe. Être raisonnable, c'est bon pour les petits, les minables, les sans-grade, les sans-classe. J'allais le garder, ce bébé, et puis les petits Chinois sont si mignons ! Moi non plus, je n'étais pas mal. Cela n'allait pas faire un monstre. Il me restait encore beaucoup de sous de l'héritage de mes parents. J'aurais une nourrice, une gouvernante. Je m'ennuyais ; avoir un bébé devait être distrayant tant qu'on n'avait pas à changer les couches. Je serais sa marraine en quelque sorte. Cela me mettrait du poids dans le ventre et du plomb dans la cervelle. Enfin, l'enfant naquit. Il faisait cette nuit-là un temps épouvantable. Lorsque mon fils poussa son premier cri, foudre et éclair s'abattirent sur un gratte-ciel voisin. L'hôpital tomba dans le noir pendant quelques secondes avant que les groupes électrogènes prennent le relais. Le garçon braillait à qui mieux mieux. Je ne lui veux que du bien, mais je ne suis pas sûre que ce soit du meilleur augure. Pas d'arc-en-ciel ici. Il est sans doute destiné à un destin fulgurant. Jou le reconnut. Il l'appela Yu Chi Ming. Il m'étonna, le Jou ! Pas mal pour un commissionnaire !

Il devait avoir la trouille tout simplement. Une analyse ADN l'aurait démasqué. J'avais entamé une dépression post-partum carabinée. Je n'aurais jamais pu m'occuper du petit. On le plaça en nourrice. Je ne le revis plus. Jou le confia à la femme d'un parent, un certain Deng. J'avais abandonné mon fils. J'étais un monstre. Je suis un monstre. Sans doute, ce qui m'avait motivée, c'était de laisser derrière moi un morceau de ma chair, de me déchirer, de me mettre en pièces. Il y avait de la délectation dans cette souffrance. Je ne m'en rendais pas compte. J'étais démiurge, j'avais créé la vie. J'en faisais ce que bon me semblait. Je la gaspillais, je me gaspillais. J'avais de l'énergie à revendre. J'étais immortelle.

L'année 1997 et l'échéance de la rétrocession de Hong Kong à la Chine approchaient. J'étais née dans cette ville. Je n'avais pas encore décidé : partir ou rester ? Par précaution et avec mes appuis au Foreign Office et au Mossad – je leur avais été de quelque utilité –, je fis changer mon nom : de Rébecca Sassoon, je devins Yoana Rabinovitch. Le patronyme Sassoon était trop connoté en Chine, cela aurait été un nom difficile à porter. Le 1er juillet 1997 arriva. Je me souviens de cette soirée dans le port. Le HMY Britannia*, le yacht de Sa Majesté, venait d'appareiller. Il se dirigeait vers la mer de Chine, accompagné d'une flottille de petits navires. Le soleil allait sombrer dans la rivière des Perles. La sirène du* Britannia *sonna, longtemps. Mon cœur se serra. Chris Patten, le dernier gouverneur, devait se tenir à la poupe. Je restai sur le quai, hypnotisée, jusqu'à ce que le vaisseau disparaisse à l'horizon.*

Le réflexe de la plupart des résidents blancs, avant la rétrocession de l'ancienne colonie britannique, fut de prendre leurs jambes à leur cou, suivis en cela par de très nombreux citoyens d'origine chinoise. Le soi-disant « Un pays, deux systèmes » promu par Deng Xiaoping n'avait guère convaincu. J'aurais pu partir à New York et m'ajouter au casting de Sex and the city*... mais l'idée me révulsait; c'était trop facile. J'aurais pu aller à Vancouver. Heureusement que je ne l'ai pas fait. La ville canadienne est pratiquement devenue une ville chinoise; autant rester en Chine. Tous ces fuyards avaient fait preuve, rétrospectivement, d'une fort mauvaise évaluation de la situation. Ils pensaient que l'avenir était à l'ouest, en Occident, principalement en Amérique du Nord. Le mythe de la* Gold Mountain*, de la Montagne d'or, telle qu'était nommée l'Amérique par les Chinois depuis 1848 et la ruée vers l'or, persistait. Ils ne pouvaient voir que la fortune était sous leurs pieds, que la terre de toutes les occasions, c'était la Chine et non l'Amérique. Beaucoup s'en mordirent les doigts.*

Et moi dans tout cela ? Et bien, puisque tout le monde s'attendait à ce que je parte, je suis restée. J'aurais aimé devenir citoyenne de la République populaire de Chine, mais cela fut impossible. La déclaration sino-britannique de 1984 constituait Hong Kong, région administrative spéciale, à partir de 1997. Pour Beijing, il y avait une nette distinction entre les résidants d'origine chinoise et ceux qui ne l'étaient pas. Pour moi, c'était du racisme. N'étant pas chinoise, je n'avais droit qu'à une carte d'identité permanente du gouvernement de Hong Kong et à un document de voyage qui n'était en rien un passeport. Je décidai cependant de choisir cette voie. L'autre possibilité aurait été d'opter pour ce que me proposait le Royaume-Uni. Ce n'était guère alléchant. Le Nationality Act de 1981 me considérait comme citoyenne des territoires dépendants britanniques. À ce titre, je pouvais entrer en

Grande-Bretagne, mais je ne pouvais y résider. En Chine ou en Angleterre, j'étais un sujet de seconde catégorie. Je ne fis pas partie cependant des quatre cent mille habitants de Hong Kong qui partirent entre 1989 et 1997. La répression de la place Tiananmen, en 1989, en influença plus d'un. La plupart se sentaient aussi lâchés par Londres, donc doublement orphelins. Le gouverneur Patten émit lois et règlements tentant de démocratiser la société. Trop peu, trop tard ! On se gaussa de ce soudain engouement de Londres pour la démocratie, à la veille de la rétrocession. Cette politique provoqua la colère de Beijing, qui promit d'annuler toutes les réformes Patten et s'indigna que la Grande-Bretagne ait rompu le pacte de 1984.

Toi, Jessica, tu avais compris, bien avant tout le monde, que le XXIe siècle serait chinois. Tu as décidé, en 1997, de rester à Hong Kong et tu y es encore. Quel cran ! Moi, je ne fais que de la frime. Maintenant que tu t'es élevée au rang de directrice générale, pour la Chine et l'Asie, de LVMQ, le conglomérat français du luxe, j'imagine que tu ne regrettes pas tes choix.

Tu sais, je suis incroyablement prévisible, je n'ai rien de l'impénétrabilité orientale. Ce qui me gouverne, c'est l'esprit de contradiction. Les plus perspicaces de mes amis l'ont bien compris : quand ils voulaient me faire tourner à gauche, ils me disaient de virer à droite et ils avaient gagné ! Très vite, je me suis lassée de la région administrative spéciale de Hong Kong. J'avais cru, naïvement, que Beijing honorerait sa promesse de conserver certains des droits de l'ancienne puissance tutélaire pendant cinquante ans, jusqu'en 2047, l'éternité pour moi. Je me rendais compte que l'étau chaque jour se resserrait. Je suis donc partie pour Israël. Tu me connais, je ne pouvais pas être la sioniste exemplaire. Je me suis engagée contre la colonisation des territoires occupés. J'ai eu une relation avec un membre du Hamas. J'ai rampé dans les tunnels menant à Gaza. J'ai toujours, à soixante-dix ans, le Mossad aux fesses. Cela me plaît. Je suis, pour les uns, la parfaite passionaria, *pour les autres, la traîtresse à abattre. J'ai réalisé bien des choses ces dernières années. En fait, j'ai peur de m'ennuyer. J'ai une crainte panique du vide, du néant, du silence. Je ne peux supporter l'idée même du bonheur. Seule l'insatisfaction me satisfait. Tant qu'à être maso, autant y aller à fond. Je me suis donc arrangée pour être maudite, des autres et de moi-même. C'est délicieux. Je suis bien atteinte, n'est-ce pas ? Je ne veux pas guérir. Auparavant, je cherchais ce qui me faisait fuir. Je le sais maintenant. C'est la fuite elle-même. Il me faut mon taux d'adrénaline. Je dois prendre chaque jour une décision critique, vitale. J'ai peur de mourir. Je baigne dans l'aveuglante lumière de la lucidité. Tout y est beau, même le laid. J'ai vu le fameux musée de mon fils prodige, unique et préféré. Le bâtiment ressemble à une araignée. Cela ne doit pas être la mère prévenante chère à Louise Bourgeois, plutôt la veuve noire, la tarentule. J'ai laissé en Chine une part de moi. Cette partie maintenant voyage dans le monde. À présent, elle est en France, mais elle reste chinoise, d'autant plus chinoise. Je me suis mutilée avec délectation. Je mutile aussi, comme la vie.*

Je t'embrasse et pense à toi. Écris-moi vite !

Ton amie Rébecca

11

AU PARC MONCEAU

Ce fut une visite fructueuse. Adélaïde et Ping se retrouvaient souvent au musée Cernuschi. Ce jour-là, le professeur était venu promettre à la conservatrice une statue de sa collection personnelle en échange du dépôt d'une statuette du Cernuschi au Musée des arts de la Chine. L'érudit, comme à son habitude, avait charmé son interlocutrice.

Fichue feuille morte ! De Castelviel glissa et faillit rater une marche en sortant. Jou Tsung Ping lui attrapa le bras et la retint. Ils se promenaient maintenant au parc Monceau bras dessus, bras dessous. Adélaïde avait rougi. Elle percevait le pouls de son compagnon. Un cul-de-jatte, qui les croisa, se propulsant bruyamment sur une planche à roulettes, cracha sur le pantalon de l'universitaire. Ping fit semblant de ne rien remarquer. Ils entendirent des cris et se retournèrent. Deux hommes saisissaient l'infirme et l'emmenaient sans ménagement. Ils reprirent leur marche. La vieille dame avait lâché le bras de son ami. Un homme à oreillette les suivait.

— Voudriez-vous continuer la fresque historique que vous aviez commencée lors de notre dernière rencontre, maître Ping ? Ce que je sais de l'histoire contemporaine de la Chine n'est guère fiable.

— Pourquoi pas ? Elle n'est pas sans intérêt. Certains font débuter l'hégémonie chinoise aux Jeux olympiques de

2008. Ce fut l'an un de la Chine. Ce fut aussi l'année de la grande crise financière et celle où ce pays devint le banquier du monde. La baisse dramatique de la demande de produits chinois exacerba cependant les problèmes sociaux de l'empire du Milieu. L'an deux fut l'Exposition universelle de 2010 à Shanghai. Le peuple élu des juifs faisait pâle figure à côté du pays qui s'était toujours perçu comme le centre du monde et qui considérait les autres comme des barbares. Puis, les troubles commencèrent. L'écart entre les riches des régions côtières et les misérables de l'intérieur devint insupportable. La corruption des élites locales et régionales entraîna des manifestations impossibles à maîtriser. On se tourna vers le gouvernement de Pékin comme on s'était tourné vers l'empereur pour obtenir justice. Les ploutobureaucrates devenaient insupportables. On voulut abolir l'aristocratie des membres du parti. On ne supportait plus que la Chine soit la championne des accidents de travail, que la nature soit devenue un égout, que les maladies environnementales constituent un fléau mortel et que les médicaments défectueux tuent les gens par milliers.

Adélaïde regardait des ouvriers installer un panneau de rue bilingue, français et chinois.

— Allée Comtesse de Ségur; je n'aurais jamais su comment l'écrire en chinois! lança-t-elle.

— Moi non plus d'ailleurs! Vous savez, Paris est jumelée à Shanghai.

— Cela explique tout... Continuez, professeur Ping.

— Où en étais-je? Ah oui! Donc, la répression ne suffisait plus. Alors qu'à l'extérieur l'influence économique, politique, diplomatique et militaire de la Chine faisait d'elle la superpuissance du XXIe siècle, le pays se désagrégeait de l'intérieur. La concurrence de l'Inde et du

Viêtnam devenait chaque jour plus féroce. L'augmentation des salaires avait diminué la compétitivité de la nation. Des millions de spéculateurs inexpérimentés entraînaient la Bourse dans un rodéo dévastateur. Il fallait sortir de la priorité donnée à l'exportation et commencer à se préoccuper du bien-être du peuple. La Chine profonde se soulevait contre la primauté de Shanghai et de Canton. Le gouvernement se demandait encore si les culs-terreux méritaient le progrès, comme on s'était demandé, sous d'autres cieux, en d'autres temps, si les Noirs avaient une âme. Le chômage atteignait les quinze pour cent. Le vieillissement de la population, résultat de la politique de l'enfant unique, minait la sacro-sainte compétitivité. La crise devint telle que le pays fut au bord de la guerre civile. Des centaines de millions de personnes refusaient d'être exclues du miracle chinois, en particulier les trois cents millions de *mingong*, ces jeunes travailleurs migrants corvéables à merci. Les besoins de protection sociale, d'éducation, de retraite, étaient énormes.

Ils arrivèrent à la pyramide. Ping s'arrêta pour nouer un lacet.

— Le pouvoir perdait les commandes. Il fallait trouver une autre stratégie que la répression, découvrir un bouc émissaire, changer l'équipe gouvernementale, détourner l'attention pendant qu'on s'attellerait à mettre en place des réformes de fond qui prendraient du temps à porter leurs fruits. Le gouvernement plaça ses pions puis se saborda. Il y eut, d'abord, une grande confusion, et des factions rivales se livrèrent une guerre acharnée. Une organisation politique émergea, le parti de la mémoire. Un nouveau président, Wang Ming Chang, fut élu après que les dirigeants précédents et leur clique eurent fait leur autocritique. Un nouvel autoritarisme succédait à l'ancien.

Il ne fallait surtout pas passer par la case « démocratie », qui aurait entraîné ce fameux Luan, le terrible chaos, spectre terrifiant dont le souvenir traumatisant perdurait depuis des millénaires.

— Je ne comprends pas votre horreur de la démocratie, s'exclama De Castelvieil.

— Vous pensez démocratie et vous voilà au Procope avec Voltaire, jouant aux dés avec Franklin et Jefferson, coupant la tête du tyran Louis XVI, faisant le coup de feu avec Washington et les Américains, écrivant la Déclaration de l'homme et du citoyen. Pour nous, comme pour les autres nations émergentes, l'Inde, le Viêtnam, ainsi que pour les actuels pays du tiers-monde, démocratie est un gros mot.

— La démocratie est un gros mot, maintenant !

— Eh, oui ! La démocratie, pour nous, c'est le colonialisme, l'impérialisme, la guerre, la terreur. C'est l'Indochine française, ce sont les concessions étrangères, c'est l'Afrique-Occidentale française, c'est le Congo belge, l'apartheid, le conflit du Viêtnam, c'est l'invasion de l'Irak. Ce sont des millions de personnes de couleur, des jaunes, des bronzés, massacrés, mutilés. Mais revenons à nos moutons. C'est à ce moment bordélique de notre sublime histoire qu'on appela à la rescousse la psychanalyse. Cette discipline, basée sur un a priori individuel particulièrement occidental, avait gagné du terrain. Puisque les Orientaux étaient portés sur le social, en matière d'inconscient, l'inconscient collectif leur seyait à merveille. Le docteur Lou Chen Chung exposa une interprétation délirante de Jung et d'Adler. La possession, par les puissances occidentales, à la fin du XIXe siècle, de concessions à l'intérieur de la Chine, les traités inégaux, auraient laissé un traumatisme qui ne pouvait s'effacer que par la revanche. La rétrocession de Hong Kong en 1997 et de Macao en 1999 n'avait pas réussi à laver cet affront. La théorie de Chung fut habilement propagée par le gouvernement. Un milliard trois cents millions de Chinois se réveillèrent un jour affligés d'une névrose ancestrale et atavique. Ils furent vite convaincus, au moyen de la propagande gouvernementale, d'être atteints de ce cancer ravageur. Auparavant, la Chine avait manifesté vis-à-vis des anciennes puissances coloniales une extraordinaire absence de rancune, sauf vis-à-vis du Japon.

Un pousse-pousse arrivait en sens inverse. Il n'y avait pas de passager.

— Bonjour Léopold, lança le professeur Ping. Le jeune homme, essoufflé, fit un sourire et un geste de la main. Jou continua :

— L'occupation occidentale, bien que vieille de près d'un siècle (la concession française de Shanghai ayant pris fin en 1946), aurait engendré un débilitant complexe d'infériorité. Ce handicap aurait entraîné, chez les dirigeants politiques, un comportement erratique et des décisions irrationnelles à l'égard des plus démunis, reproduisant ainsi, à l'encontre de leur propre population, le mal infligé par l'occupant occidental cent ans auparavant. L'analyse des rêves démentiels de la précédente équipe dirigeante faisait la une des journaux. Tout s'expliquait. On réveillait la mémoire. On déterrait un préjudice séculaire et on lui donnait le bouche-à-bouche. On infiltra et acheta les responsables des mouvements de protestation. On réalisa un tour de force en utilisant une formidable énergie de ressentiment, en la détournant de son objet initial et en la dirigeant vers une cible précédemment inconnue. La voie de la guérison passait par la revanche, ce thème central de la psyché chinoise. Il fallait administrer un traitement, traiter le mal par le mal, faire rendre la monnaie de leur pièce à ces *diables blancs*, faire expier les crimes du passé, laver l'affront infligé par ces Occidentaux à tête de chien. Il s'agissait d'installer une concession chinoise dans un pays occidental. Quelle serait la nation la plus appropriée, celle qui entraînerait le moins de difficultés d'occupation, qui frapperait le plus l'imaginaire occidental ? Le choix fut aisé. N'est-ce pas, Adélaïde ?

— Je le crains, en effet !

— Pendant ce temps, on mit en branle une série de mesures des plus fructueuses qui donna une base populaire au nouveau gouvernement. On s'attela à combattre le chômage et à créer des emplois. On entreprit, à l'échelle nationale, un immense chantier de travaux d'infrastructures. On vit des projets abracadabrants. La palme revint à un gigantesque échangeur autoroutier au centre du désert du Takla-Makan. Le génie chinois fit encore des merveilles. On le transforma en musée d'art contemporain (le Musée d'art contemporain du Takla-Makan ou MACTAK). Celui-ci fut un tel succès qu'une ville fut construite pour accueillir le flot de touristes. On accéléra la lutte contre la corruption des administrations municipales et régionales. On instaura une meilleure répartition de la richesse. On injecta des budgets considérables dans l'alphabétisation et la scolarisation. Les bienfaits de ces politiques internes se faisaient déjà sentir alors que le soi-disant traumatisme psychologique infligé à l'inconscient chinois était en voie de guérison.

— Excusez-moi, professeur ! Mon robot me donne du souci. Adélaïde sortit son téléphone, composa un numéro et regarda l'écran. Alfred dormait d'un œil. Il arborait un sourire qui lui glaça le sang. De Castelviel pâlit et dut s'asseoir sur un banc.

— Qu'y a-t-il, mon amie? Remettez-vous! Voulez-vous que nous allions prendre un chocolat?

— Non merci. Cela va mieux. C'est Alfred! Alfred est étrange, ces temps-ci!

— Mais qu'a-t-il donc qui vous affecte tant?

— Depuis que je l'ai ramené de chez le concessionnaire, lors de sa dernière révision, il se comporte bizarrement. Il se lève et marche durant la nuit. Un vrai somnambule! Il parle. Je ne sais s'il rêve ou s'il fait des cauchemars.

— Mais que dit-il donc?

— Les mêmes mots! Toujours les mêmes mots!

— Quels sont ces mots?

— Oh! cela ne veut rien dire. La marque noire! Voilà ce qu'il dit: « La marque noire. »

— Étrange, en effet! Je pourrais vous le faire reprogrammer.

— C'est très aimable, professeur. Mais pas tout de suite. Il est si gentil. Continuez, et marchons, maître Ping. C'est passionnant! Je vais en oublier mon Alfred!

— Si vous voulez. La France et la Chine, alors comme maintenant, avaient entre elles tant de similitudes mais tant de différences! Toutes les deux se pensaient le centre de l'univers. Un sentiment de supériorité était né, chez le Chinois, d'être à l'origine d'inventions fondamentales comme la poudre, l'imprimerie, le papier, d'avoir une culture, une cuisine extraordinaires. La France se targuait d'être la patrie des droits de l'homme, ce qui lui conférait l'autorité morale suprême. Le Français, accroché à ses acquis inaliénables, drapé dans la nostalgie d'un passé fantasmé, crispé dans son identité, convaincu de l'éternité de son destin, était d'un conservatisme farouche. Le Chinois était, lui, champion de l'autocritique et apprenait goulûment de ses erreurs et de ses échecs. L'Hexagonal ne voulait pas apprendre, s'améliorer, car il était parfait. C'était un professeur pour le monde. Le logos avait primauté sur tout. Le mot l'emportait sur la chose. Dire une chose, c'était la réaliser. Pour le Chinois et ses idéogrammes, le mot est un point de vue sur la chose, une interprétation, un point de départ et non un point d'arrivée.

— Mais quelle est la différence fondamentale entre vous et nous ?

— Vous avez tué le père, depuis Nietzsche et Freud, nous non. La relation filiale, la relation de clan, domine notre inconscient. Depuis la politique de l'enfant unique, nous perdons notre esprit de clan pour adopter une vision individualiste qui ne nous est point familière. Nous n'avons plus de dettes envers le père, la famille, le clan. C'est terrible de ne plus avoir de dettes !

— C'est un point de vue ! Le Français est surendetté...

— Je vous sens soudain rêveuse...

— Je pense à ce que vous avez dit du masochisme et je revois les statuettes bouddhistes du Cernuschi.

— Mais encore...

— Le bouddhiste appelle à un détachement de toute souffrance mais, ce faisant, de toute jouissance, de tout bonheur.

— Oui ! Il faut être pas mal masochiste pour être un grand jouisseur. Vous, les catholiques, avec vos condamnés à mort, en croix dans vos églises, avec votre culte du supplicié et du cadavre, vous décrochez le pompon. Nous, nous avons nos autels, nous nourrissons nos dieux ; vous, vous faites le bouche-à-bouche à un cadavre.

— Vous êtes dur, professeur Ping !

— Vous ne croyez pas si bien dire...

Adélaïde passa la main dans ses cheveux blancs.

— Pensez-vous, mon cher Jou, que nous, les Français, retrouverons notre indépendance ?

— Bien sûr ! Ce n'est qu'une question de temps. Qui aurait cru que la Palestine et Israël s'entendraient comme larrons en foire, comme ils le font maintenant depuis que les États-Unis ont perdu leur hégémonie ? Qui aurait cru, en 1970, que l'URSS s'effondrerait, qu'en 1975 la Chine prendrait la voie du capitalisme, qu'en 2008 Obama serait élu alors qu'en 1968 Luther King avait été assassiné ?

— J'aimerais vous croire, professeur Ping !

— Plus de professeur Ping ! Appelez-moi Jou !

Ils entendirent, derrière eux, un pousse-pousse qui allait les dépasser. Le halètement du coureur se faisait plus précis, le martèlement de ses pas plus fort. Adélaïde se retourna. L'homme baissait la tête. Elle crut reconnaître Léopold. Cela ne pouvait être lui. Il était passé, il y avait peu, dans l'autre sens. En les doublant, la passagère, d'une main gantée de résille noire, laissa tomber quelque chose aux pieds de la vieille dame. Adélaïde se baissa et ramassa l'objet. C'était une lingerie féminine de grande qualité, en dentelle de soie noire, un slip. On pouvait lire, sur la bande élastique, Roxanne Mathoss.

— Ne vous inquiétez pas, Adélaïde ! Ce n'est sans doute qu'une coïncidence.

— Vous voulez me rassurer. C'est gentil. Laisser tomber un sous-vêtement d'un pousse-pousse, c'est assez rare, devant une vieille dame encore plus, mais quand la pièce est signée Roxanne Mathoss, alors là...

— Venez ! Je vous raccompagne.

— Merci. Je vais au Guimet. Prenons le métro.

— Entendu. Je vais au Musée de la chasse pour y voir Héloïse.

Adélaïde serrait, dans sa main, la culotte de soie noire. Elle était si fine, si douce.

12

Il était une fois

— Très bien, Alfred ! Oui ! C'est ça ! La bille entre le pouce et l'index ! Vas-y ! Pop ! Bravo ! Grand-ma ! Alfred va pouvoir jouer aux billes avec moi !

— C'est très bien, Pierre, mais ne le fatigue pas trop ! Il va encore surchauffer et après, plus de jeux !

Les deux camarades étaient assis sur le tapis du salon de l'appartement d'Adélaïde. Pierre fit la moue. L'androïde le regardait d'un air interrogateur.

— Encore un peu, grand-maman ! Il y arrive presque !

— Ne me dis pas que tu n'as pas vu qu'il clignait des yeux !

— Oui ! Et alors ?

— Et alors ! Il va me brûler un fusible et je n'en ai plus ! Tu ne veux pas que ta grand-mère fasse la vaisselle, passe l'aspirateur et monte les courses, tout de même !

— Non, grand-maman ! Bien sûr que je ne le veux pas !

— Bien, alors, Alfred va s'installer sur le canapé et faire une petite sieste. N'est-ce pas, Alfred ?

— Oui, madame !

— Tout ce qu'il sait faire, Alfred, c'est dormir ! Heureusement qu'il ne ronfle pas !

— Ils prévoient cela dans sa prochaine mise à jour, mais je vais laisser faire.

Assis sur le sofa, Alfred avait fermé les yeux et dormait ; son thorax se dilatait et se rétractait au rythme d'une respiration simulée. Petit Pierre, assis à côté du robot, la tête entre les mains, les sourcils froncés, frappait du pied le rebord du divan.

— Toi aussi, tu ferais bien de te reposer. Tu sais que, demain, maman t'amène à l'hôpital.

Petit Pierre se renfrogna de plus belle. Adélaïde, calée dans son fauteuil, se remit à lire. L'enfant se leva, souleva un rideau et regarda dehors. Il pleuvait. Il ne vit que les fenêtres éclairées des immeubles d'en face. Une femme peignait ses longs cheveux. Il l'observa un moment et retourna s'asseoir. Il recommença à tambouriner du pied. Alfred émit un soupir.

— Que lisez-vous, grand-maman ?

— Oh ! C'est une histoire pour les grands, dit la vieille dame sans lever les yeux.

— Maman dit que je suis grand.

— Tu grandis, Pierre.

— Grand-ma, faites-moi la lecture, s'il vous plaît.

— Tu vas trouver cela bien ennuyeux. Tu ne comprendras pas. C'est plein de mots difficiles. Cela se déroule il y a très longtemps.

— Je vous en prie.

— D'accord, Pierre. Je reprends donc du début.

— Merci, grand-ma !

Adélaïde ajusta ses lunettes et prit le journal qu'elle avait trouvé, comme un héritage, dans les papiers d'un aïeul, missionnaire à Shanghai dans les années 1920. Un jeune homme de dix-huit ans en était l'auteur. Ce Guillaume Marigny habitait la concession française de Shanghai. De Castelvieil s'était toujours intéressée à l'histoire de ce bout de France, en terre chinoise, qui n'avait disparu qu'en 1946.

Shanghai, le 4 février 1926

Mon cher Maurice,

Sache que je vais conserver un exemplaire des lettres que je t'envoie et qu'elles constitueront mon journal. J'écris plus pour essayer de comprendre ma vie que pour te la décrire. Toi, tu sembles avoir tout saisi. Tu es plein de convictions et de certitudes. Depuis que tu as rejoint le parti communiste, tout est devenu limpide. Lors de ta venue à Shanghai, l'an passé, tu n'as eu de cesse de me montrer l'ignominie de l'occupation française de cette terre d'Orient. J'avoue qu'à ton contact, l'été dernier, ma vision des choses a grandement changé. Cependant, je ne suis pas enclin à embrasser la philosophie de feu de ton ami Lénine. Moi qui suis né en terre chinoise, j'aimerais que tu comprennes mon histoire et celle des miens. Tu verras que je suis moins obtus et réactionnaire que tu ne le penses. Peut-être ai-je quelque chose à t'apprendre sur cette terre qui t'est si lointaine. Je ne me soucie guère que tu nous juges, ce que tu ne t'empêcheras pas de faire. Ce que je vais te raconter ne fera qu'illustrer tes visions théoriques. Ce sera mon cadeau.

Tu n'es pas sans savoir que mon grand-père, Gustave, fut l'un des premiers ressortissants français installés en Chine. Il y arriva à bord du Nemesis *en 1842 et travailla d'abord au sein de la compagnie Sassoon ; puis, il fonda sa propre firme d'import-export. Je lui dois ma connaissance de cette période fascinante et sordide.*

Dès les années 1820, il était devenu évident que l'Occident achetait beaucoup plus à la Chine que celle-ci n'achetait à l'Occident. Les Anglais commandaient thé, soie et porcelaine, alors que les Chinois n'importaient *aucun produit britannique. Les coffres chinois se remplissaient et le trésor anglais se vidait. Il s'agissait de trouver un produit que les Chinois seraient contraints d'acheter, un produit tel que son absence entraînerait un manque insoutenable. L'opium indien remplit ce rôle. Auparavant, cette substance n'était utilisée en Chine que pour ses vertus médicinales et non comme une drogue. Le gouvernement dut faire face à une marée de drogués. Les autres puissances occidentales, la France, l'Allemagne, les États-Unis, voulaient que la Chine s'ouvre à leurs marchands comme le Japon de l'ère Meiji s'était ouvert à eux. Le gouvernement impérial décréta illégal le commerce de l'opium. La contrebande s'accentua. Des fortunes colossales se bâtirent en quelques années. En quelques décennies, le nombre d'opiomanes atteignit quinze millions. La caisse d'opium devint presque un étalon monétaire, la marchandise la plus prisée du XIX*e *siècle, celle qui permit à l'Angleterre de financer la fin de la colonisation indienne. Les coffres du Fils Céleste se vidèrent. S'ensuivirent inflation vertigineuse et augmentation du coût de la vie. En 1839, vingt mille caisses d'opium furent jetées à la mer par les autorités chinoises. Les commerçants demandèrent des dédommagements. Les Chinois les refusèrent. Ce fut la guerre. En 1840, une armada de quarante-huit navires britanniques arriva devant Canton puis se dirigea vers Tianjin, la ville portuaire la plus proche de Pékin. Les Chinois cédèrent. En 1841, un armistice fut signé. Les Anglais se montrèrent insatiables. En 1842, ils remontèrent le Yang-Tsé et menacèrent Nankin. Pékin céda. Un traité fut signé. Les Anglais continuèrent le commerce de l'opium. Tu as toi-même créé un néologisme quand tu m'as dit que l'Angleterre avait été le premier État narcotrafiquant. Les* *îlots de Hong Kong, qui commandent l'accès à la rivière de Canton, furent cédés à la couronne britannique. Cinq ports s'ouvrirent aux Occidentaux. Ils purent y vivre et s'y installer. Les commerçants obtinrent, en compensation des caisses détruites, le tiers des finances publiques chinoises.*

Adélaïde leva les yeux et regarda Pierre. Il dormait sur les genoux d'Alfred. Pratique pour l'endormir, pensa-t-elle. Elle s'arrêta. L'enfant ouvrit les yeux et dit :

— Continuez, grand-mère. Je ne dors pas. Je rêve.

Elle continua.

En juillet 1844, les Chinois signèrent avec les Américains un traité semblable à celui de Nankin. En octobre 1844, ils ratifièrent un autre traité, avec les Français, qui donna à ceux-ci le droit de construire des églises, des cimetières et d'évangéliser.

La première guerre de l'opium prit alors fin.

Ah ! Mais voilà que Félix, mon petit frère que tu aimes tant, frappe à la porte. Je dois l'emmener faire voler son cerf-volant. Tu sais qu'il aime cela par-dessus tout. Il peut sortir de sa chambre, où sa très grande faiblesse, dont les docteurs n'ont pu diagnostiquer la cause, le maintient. À bientôt.

Avec toute mon amitié, ton suppôt du colonialisme de cousin.

Guillaume

— Ça suffit pour aujourd'hui, dit Adélaïde, mal à l'aise, en fermant le journal.

Pierrot la regardait, l'air rêveur.

13

Dessous dans le ciel

Cette voiture, elle ne l'avait pas vue venir, et puis, elle se souvint du choc, de cette terrible douleur à la jambe. Adélaïde était étendue au milieu de la rue Massenet. Sa tête avait heurté la chaussée. Elle saignait. L'auto avait disparu dans le hurlement d'un moteur en surrégime et dans un crissement de pneus.

Elle se réveilla dans son appartement, le front couvert de gaze, veillée par Camille accompagnée de Petit Pierre.

— Un jour, ils auront ma peau ! annonça-t-elle en guise d'introduction.

Camille apprit l'existence de la marque noire. Elle examina la culotte de jais, soyeuse comme la mort.

— Il n'est pas bon que tu continues à te balader avec le professeur Ping, un membre du gouvernement chinois qui siège au CA du Musée d'art de la Chine.

— Tu travailles bien, toi, pour ce musée !

— Oui, mais je ne me promène pas, bras dessus, bras dessous, avec un occupant.

— Camille, je t'en prie !

— Tu n'as pas eu ta leçon ? C'était un avertissement. La prochaine fois sera la bonne.

— Je ferai attention. C'est promis.

— J'espère. Je n'ai pas l'intention de me trouver une autre grand-mère.

De Castelvieil sourit et tapota la main de Camille. Pierrot regardait à la fenêtre la belle dame qui peignait ses cheveux. Lamaury saisit le slip et le mit dans son sac.

— Qu'est-ce que tu fais ? demanda Adélaïde.

— Je vais m'en débarrasser, évidemment !

— Non ! J'aimerais le garder ! Je ne pourrais jamais m'offrir une pièce de lingerie signée Roxanne Mathoss !

— Très drôle ! Je vais détruire ce maléfice, le brûler.

— Non ! Arrête ! Rends-le-moi !

En bougonnant, Camille sortit le sous-vêtement et le mit sur un guéridon.

— Pierre et moi allons au bois de Vincennes faire voler son cerf-volant.

L'enfant abandonna son observation et vint retrouver la vieille dame.

— Oui, grand-ma ! C'est la troisième fois. Je me débrouille bien. Regarde, j'en ai un nouveau !

Pierrot montra à sa grand-mère un grand papillon bleu, rouge et jaune.

— Il est superbe, Pierre ! lança Adélaïde.

Camille s'employait à changer le pansement de la vieille dame. Quelques minutes passèrent. Elle se retourna et cria à son petit frère :

— Eh ! lâche ça. Ne joue pas avec cette culotte !

Elle la lui arracha des mains et la posa près d'elle.

— C'est vrai qu'elle est très belle ! émit Camille, admirative.

— Je te l'avais dit ! Tu pourrais l'attacher au cerf-volant de Petit Pierre, lança De Castelvieil, espiègle.

— Quelle idée ! J'avoue que cela serait un pied de nez à la formidable résistante. Si elle se détachait et tombait devant quelqu'un, cela serait terrible.

— Aux pieds de Roxanne Mathoss, par exemple.

La jeune fille sourit.

— Tu es d'accord, Petit Pierre ? dit la grande sœur.

— Oh ! oui. C'est trop rigolo !

Ils embrassèrent leur aïeule et sortirent. Camille tenait la main de son petit frère. Ils se dirigèrent vers la station Boulainvilliers-La Muette.

— Elle est drôle tout de même, grand-maman.

— Comment ça, drôle ? Tu veux dire bizarre ? Ce n'est pas gentil.

— Les grands-mères de mes amis ne sont pas comme elle. Je veux dire, elles ne font pas voler leurs petites culottes.

— Ce n'est pas sa petite culotte !

Le métro filait vers le bois de Vincennes. Ils y étaient enfin. Ils arrivèrent sur une grande prairie bordée de pins, la plaine Saint-Hubert. Le vent du nord-nord-est soufflait légèrement et tournait. Pierre courait. Le bonheur ! Tant de liberté ! Ils s'arrêtèrent. Quelques cerfs-volistes passionnés s'entraînaient déjà. Des aéronefs de toutes les formes, des monofils, des cerfs-volants à caissons, à boudins, virevoltaient en tous sens. Pierre sortit son papillon. L'insecte tricolore prit son envol. Il gagna de la hauteur et se tint immobile. Le dessous noir claquait au vent d'un ciel de traîne. Les membres du Cerf-volant club de France faisaient des acrobaties aériennes. Un Chinois faisait danser un dragon noir dans l'azur. Il chantait :

Tai Yang Chu Lai, Ee Dien Hung
Go Go Chee Wo Chee Loong
Chee Djung Loong, Go Hai Dung
Doong Hai You, Wo Chang Run Jia

Petit Pierre, tirant sur ses lignes, essaya d'effectuer un *Lazy Susan*. L'aéronef partit en vrille. L'enfant tenta de le ramener, mais l'objet s'écrasa à ses pieds. La culotte de Roxanne Mathoss atterrit en face de Camille. Pierrot se mit à pleurer. Le Chinois ramena son dragon noir, qui se posa devant lui comme un chien alangui. Il s'approcha. Il portait un drapeau rouge à la boutonnière.

— Puis-je vous aider? demanda-t-il dans un français impeccable.

— Non! Je vous remercie. On va s'en sortir, répondit la jeune femme.

— S'il te plaît, Camille! Laisse le monsieur m'aider!

La grande sœur acquiesça. L'affable inconnu s'agenouilla et examina le cerf-volant blessé. Le slip noir, déployé, semblait offrir plus de portance que les ailes du lépidoptère. Camille rougit. L'homme ne fit aucune remarque.

— Voyez! Cette membrure est cassée, le nylon est déchiré et le cadre est tordu. Je peux réparer le tout et mettre une armature de kevlar. Plus de casse, et c'est plus léger. Je vous le rapporte demain, même endroit, même heure.

— C'est très gentil, monsieur, mais je ne peux accepter. Petite Pierre va le réparer. Il aime bricoler.

Pierrot boudait et tapait dans une pierre.

— Comme vous voulez. Puis-je, au moins, vous prêter mon dragon noir?

— C'est trop aimable, monsieur, mais là encore je ne puis accepter. Je vous remercie.

— Entendu. Bonne journée, alors, et au plaisir.

— Oh! Camille. Laisse-moi essayer le cerf-volant du monsieur!

Camille fit non de la tête. Petit Pierre *shoota* dans une autre pierre. L'homme s'éloigna lentement. Il chantonnait :

Tai Yang Chu Lai Ee Dien Hung

Petit Pierre courut vers lui.

— Monsieur, qu'est-ce qu'elle veut dire, votre chanson ?

— Je vais essayer de vous la traduire :

Le soleil se lève brillant et rouge
Mon frère s'amuse tous les jours
Je monte un dragon noir loin dans l'Orient
Là mon destin m'attend.

— Merci, monsieur ! Au revoir !

— Au revoir, mon garçon ! Au revoir, mademoiselle !

Camille et son frère ramassèrent leurs affaires et partirent.

— Pourquoi t'as pas voulu que j'essaye son cerf-volant ?

— C'est son dragon noir. Chacun a son dragon noir. Tu ne peux pas emprunter le dragon noir de quelqu'un.

— C'est quoi mon dragon noir ?

— Tu le sais, n'est-ce pas ?

Pierre tapa encore dans un caillou.

— Oui! Je le sais.

— Il est gentil, le monsieur.

— C'est vrai qu'il est gentil. Un bel homme aussi, au physique étrange, pensa Camille.

— Tu crois que c'est un vrai Chinois ou un faux ? Enfin, je veux dire, un Français avec une tête de Chinois.

— C'est un Chinois avec une tête de pas Chinois. Il n'a pas l'air d'un vrai, mais c'est un vrai.

— Comment tu le sais ?

— C'est écrit dessus.

— Comment ça ?

— T'as pas vu ? Il a un drapeau rouge à la boutonnière.

— Il a pu le trouver par terre et se le mettre.

— C'est pas la meilleure des choses à faire par les temps qui courent.

— C'est toujours écrit dessus ?

— Pas souvent. C'est le problème. Enfin, tu sais, les vrais, les faux, c'est parfois dur à distinguer. Dans mon boulot, j'en sais quelque chose.

Ils marchaient. Camille prit la main de son petit frère. Elle était froide.

14

TRIOMPHE DE LA BOUE ÉTRANGÈRE

Dans l'appartement de la rue Hautefeuille, alors que le crachin humectait les vitres et que l'on entendait, de façon diffuse, les voitures glisser sur l'asphalte mouillé, ils s'étaient enfin levés de table et installés au salon. Tout le monde s'était régalé. Émilie avait préparé un bon repas. La famille était réunie, Camille, Petit Pierre, Adélaïde. Le petit avait demandé ce que l'on mangerait à Noël. Émilie avait répondu. Elle s'était retournée pour ne pas montrer ses larmes. Cela serait sans doute le dernier Noël de son fils. La leucémie aiguë de l'enfant s'aggravait, les greffes de moelle avaient échoué et la chimiothérapie semblait créer plus de problèmes qu'elle n'en résolvait. À l'hôpital de la Pitié-Salpêtrière, les médecins expérimentaient un traitement quasi miraculeux. Jamais Lamaury ne pourrait y faire soigner son fils. Il pouvait être guéri. Elle le savait. Il ne le serait pas. Il allait mourir. Elle le regardait. Elle gravait dans sa mémoire le fruit de sa chair qui bientôt ne serait plus.

Camille feuilletait une revue de mode. Pierrot était bien pâle ce soir-là. Il regardait sa grand-mère lire le journal de Guillaume.

— Grand-ma, faites-moi la lecture, s'il vous plaît.

— Je ne sais pas ce que tu trouves à ce journal. Cela doit être du chinois pour toi. Tu dois aimer ma voix, mais, bon, entendu. Allons dans la chambre d'Émilie. Nous ne voulons pas gêner ta mère et ta sœur.

Adélaïde s'assit sur le lit. Pierrot s'était allongé et regardait le plafond.

Shanghai, le 10 février 1926

Mon cher Maurice,

Merci pour ta lettre. Je vois que tu te tiens bien occupé, que tes étudiants de Normale Sup te passionnent. Ce que cela doit être excitant d'être prof de philo ! Tu me parles de ce Chinois chrétien, Sun Yat Sen. Tu me dis combien sa mort, l'an passé, t'a touché. Sais-tu que c'est dans la concession française, il n'y a que cinq ans, qu'eut lieu le premier congrès du Parti communiste chinois ? Ne te trompe pas et ne pense pas que nos autorités sont complaisantes. Notre police tolère la présence des agitateurs de ton genre pour mieux les surveiller. Le secrétaire général de ce groupe de malfaiteurs, comme les appelle mon père, est Chen Duxiu, un professeur de littérature francophile. Je trouve que tu es très dur envers mon paternel qui t'a accueilli si généreusement cet été. Il a beau être agent général des Messageries maritimes, ce n'est pas un gangster pour autant. Tu seras content d'apprendre que les manifestations contre les Japonais et les concessions ont repris de plus belle et que, sur Nankin Road, on criait : « À bas les traités inégaux ! Rendez les concessions à la Chine ! »

Félix est alité aujourd'hui. Maman dit que je l'ai trop fait courir. Il aime tant faire voler son cerf-volant. Je suis certain que cela lui fait plus de bien que de mal. Le docteur lui a prescrit un nouveau régime fortifiant, et nous voulons croire au miracle.

De mon côté, je continue mes études de droit à l'université l'Aurore. Tu sais que je n'entreprends cela que pour faire plaisir à papa. Je voudrais devenir écrivain, mais je comprends que je ne pourrai point en vivre. Au moins, grâce à mes études, je ne suis pas devenu un anachorète complet. Je me suis fait de nombreux amis dont, tu seras content de l'apprendre, plusieurs Chinois. Mon meilleur camarade est Lu Pa Tong, le fils aîné de la riche et influente famille Tong qui œuvre dans le transport maritime. Ils sont catholiques et ont des prêtres et des jésuites parmi eux. Je t'entends déjà crier aux vendus ! Ne t'en déplaise, ils sont absolument charmants et entretiennent des liens étroits avec la communauté française. Lu a une sœur, May Ling. Il paraît qu'elle est fort jolie et il m'a promis de me la présenter. Tu vas dire que je suis un incorrigible romantique. Je ne suis pas comme toi, qui m'as dit, en boutade j'espère, que tu veux proposer au guide Michelin, après ton prochain séjour à Shanghai, un classement des soixante lupanars de la concession. Je suis touché que tu ne te cantonnes qu'à notre enclave. Aller au bordel, ici comme ailleurs, est un rite de passage, et j'ai bien dû passer par là. Sinon, je me promène, j'erre dans les parcs, je traîne ma silhouette par les rues et ruelles, je rêve sur le Bund à cet ailleurs, à ce Paris que j'idolâtre et que tu abhorres. Je laisse filer, hors de ma vue, ces jonques cachées par la fumée des steamers. J'hume sur les quais cette soupe fumante et délicieuse qu'un Chinois hilare me sert, sur une brouette décrépite. Je vois s'écouler dans l'océan le Yangzi Jiang. J'ai mal de sentir ma Chine perdre ses eaux, perdre ses enfants, me perdre, et se perdre, dans ses boues alluviales comme nous l'avons perdue dans l'opium, cette boue étrangère. Oui, mon cher Maurice, ma Chine, car c'est ma patrie. À Paris, je me sens un Chinois de France, et à Shanghai, un Français de Chine. Je ne pourrai jamais être épanoui et traînerai toujours cet inassouvissement que bien des jeunes filles prennent pour du romantisme.

Papa et maman veulent que je participe à la vie mondaine; je déteste cela, aller au théâtre, au champ de courses, dans les bars des grands hôtels. Si je fréquente le nouveau Cercle sportif français, c'est pour y nager dans la piscine couverte et non pour y danser dans la salle de bal. Ce que je hais cependant par-dessus tout, c'est de devoir assister aux réceptions, à la maison, des familles chinoises traditionnelles avec lesquelles papa est en relation d'affaires. Les maris se croient obligés de venir avec femme et enfants, pour faire moderne. Ils n'amènent d'ailleurs que leur première épouse. Et me voilà, assis auprès d'eux, jouant le fils modèle, écoutant leurs conversations insipides, feignant de ne pas voir leurs enfants compassés. Un supplice ! Que ne ferait-on pas pour le bien du commerce ! Mes pingres de vieux ne me donnent pas un radis, aussi me suis-je trouvé un poste de tuteur de français chez les maristes. Je me fais un joli pactole que j'emploierai au cours de mon prochain séjour en France.

Adélaïde se pencha sur Petit Pierre. Il semblait dormir, aussi s'arrêta-t-elle de lire.

— Continuez, grand-maman, je ne dors pas.

Je vois que tu as apprécié la fresque historique que je t'ai brossée. Tu continues où je l'avais laissée, mais tu confonds guerre de l'opium, révolte des Tai Ping et épisode des Boxers. Il est vrai qu'on peut s'y perdre. Je vais essayer de démêler cela. Tous ces phénomènes ont été exacerbés par le phénoménal accroissement de la population que la Chine a connu au milieu du XIXe siècle. Ainsi est-on passé de cent cinquante millions d'habitants en 1750 à quatre cent cinquante millions en 1850. De plus, au XIXe, l'empire du Milieu s'est rapetissé comme une peau de chagrin. Il a perdu l'Annam aux mains de la France, la Birmanie à celles des Anglais. La Corée devient indépendante. Formose tombe sous le joug japonais. La Russie occupe une grande partie de la Mandchourie et rebaptise Vladivostok pour lui donner le nom de Haishengwei. À cela s'ajoutent les velléités musulmanes du Turkestan chinois, qui font dix millions de morts pendant cette période. Il faut noter que les attaques des « barbares » sur les côtes sud sont sous-estimées par rapport au péril que représente l'influence grandissante des tsars dans l'ouest du pays. Aujourd'hui, je t'entretiendrai de la seconde guerre de l'opium.

Après la première guerre de cet horrible poison, les Occidentaux étaient insatiables. Il leur fallait un prétexte pour entamer les hostilités. Il se présenta, en 1856, sous la forme d'une barquasse pourrie, le Arrow. *Ce bateau chinois, sous licence britannique, est arraisonné ; son équipage est accusé de contrebande de narcotiques, alors que le vice-roi de la région s'y adonnait allégrement. Les douze hommes sont emprisonnés. Les Britanniques demandent la relâche des marins. Elle leur est refusée. Fin octobre, cinq mille soldats investissent Canton. Le parlement de Londres décida d'obtenir réparation et demanda à la France, aux États-Unis et à la Russie de s'allier à lui. Paris s'aligna après l'exécution, sous d'horribles tortures, du missionnaire Chapdelaine. Fin 1857, les armées britanniques et françaises remontent la rivière des Perles, attaquent et occupent Canton. La coalition remonte vers le nord, vers Pékin. Des émissaires du gouvernement signent avec les envahisseurs, à Tianjin en juin 1858, un traité qui, entre autres choses, légalise le commerce de l'opium. La cour refuse de ratifier cet accord.*

En 1859, les Anglais et les Français essayent de pénétrer dans Tianjin, mais se font refouler. En juillet 1860, un corps expéditionnaire anglo-français de vingt-cinq mille hommes débarque en Chine. En août, des parlementaires européens sont atrocement torturés au Palais d'été. En septembre, Tianjin est pris. En octobre, les troupes campent sous les murailles de Pékin. Elles commettent des actes innommables, violent, torturent, massacrent. Elles finissent par piller et incendier le Palais d'été. C'était comme si le Louvre, Versailles et la Bibliothèque nationale étaient partis en fumée. Le traité de Tianjin est finalement signé par le frère de l'empereur lors de la Convention de Pékin. Le commerce de l'opium est légalisé et le droit de propriété privé des Occidentaux reconnu. La seconde guerre de l'opium prend fin.

Je regarde l'heure et constate que je dois filer chez les maristes.

Porte-toi bien et écris-moi vite.

Ton cousin Guillaume

Petit Pierre semblait dormir.

— Tu dors, Pierre ? demanda Adélaïde.

— Oui ! répondit l'enfant.

— Ah ! Ah ! Ah ! Espèce de chenapan ! Qu'est-ce que j'ai dit ?

— Ah ! Ah ! Ah ! Espèce de chenapan ! Qu'est-ce que j'ai dit ? répéta l'insolent.

— Oh ! arrête. Qu'est-ce que j'ai dit avant cela ?

— Porte-toi bien et écris-moi vite. Ton cousin Guillaume.

— Tu es un drôle de numéro !

15

Roxanne Mathoss

Peindre une *mantis religiosa* n'a jamais été facile. Le corps était déjà noir. Roxanne Mathoss peignait, en rouge, les pattes ravisseuses. Elle laissa l'insecte sortir de sa léthargie. Elle le remit dans sa cage et fit pénétrer le mâle. Elle savait ce qui allait arriver. Pas le temps de traîner. Il fallait préparer le défilé. Dans vingt minutes, les filles entreraient. Elle avait la chair de poule. Derrière un paravent, elle observait. Des projecteurs diffusaient une lumière ambrée. Des récamiers dorés, parmi des ottomanes cramoisies, sortaient de leur pénombre. Désiderio, l'éclairagiste, faisait danser les ombres. La styliste avait faim, une envie de sucré. Elle mangea une religieuse. On finissait de monter les décors. Une église en ruine naissait. Un incendie la ravageait. Des colonnes tombaient. On percevait, comme au loin, du Palestrina. La designer enfilait langoureusement ses bas de résille noirs. Ses pieds pénétraient le voile qui s'écartait le long de ses cuisses. Elle agrafa ses jarretelles. Son slip de dentelle laissait entrevoir sa toison. Elle effleura cette transparente broderie, à la naissance du sexe. Elle ajusta sa guêpière, rectifia le carmin de ses lèvres. Ses cheveux, frangés, étaient coupés au carré. Avec ses yeux légère-ment bridés et ses hautes pommettes, elle ne pouvait cacher un métissage asiatique. Elle ne l'avait jamais renié d'ailleurs. Ces temps-ci, elle l'utilisait avec perversité. Roxanne aurait voulu connaître son père. Sa mère, une couturière, lui avait dit qu'elle était le fruit des amours passagères qu'elle avait entretenues avec le propriétaire d'un *pressing*. Elle ne l'avait jamais cru. Elle décroisa les jambes. La soie crissa. Elle sourit. Qu'il était bon d'être femme, de se sentir fatale. Elle était une artiste. Elle cachait ce que l'on montrait. Elle montrait ce que l'on cachait. Elle froissa un ruban de satin.

Les filles entrèrent, une à une, perchées sur leurs talons aiguilles, qui en nuisettes translucides comme des méduses, qui en gaines de jais et caracos de sang, qui gantées de noir jusqu'aux coudes, la plupart en culotte, soutien-gorge et porte-jarretelles. L'impératrice des dessous chics avisa Olga Wilde, son mannequin fétiche. Celle-ci s'était accroupie et un collant arachnéen tissait une toile sur le cœur de ses fesses. Camélia, l'assistante de la créatrice, en *body* de dentelle, jouait la chef d'orchestre.

La Parisienne enfilait son porte-jarretelles comme le Texan se ceinturait d'un colt. Mathoss avait obtenu à la femme son port d'arme. Roxanne avait dessiné, avec la sève de l'hévéa, une gamme de sous-vêtements en dentelle. Lovées au plus intime, moites, parfumées de désir et d'amour, les créations de Roxanne procuraient un plaisir fou. Elle réveillait la convoitise, comme dans un bordel un chapeau claque. L'artiste faisait découvrir aux femmes leurs continents noirs. Elle ne se souciait plus du qu'en-dira-t-on.

La provocatrice regardait. Une bretelle de son soutien-gorge était descendue. Elle avait noué ses mains derrière sa nuque. Ses aisselles blanches aveuglaient. Sur elle, vingt grammes de soie, dévastateurs comme de la nitroglycérine. Pourrait-on un jour palper l'impalpable? Fallait-il donc réveiller chez *les femmes comme il faut* des fantasmes de pute? À travers ces dessous griffés, ces balconnets pigeonnants, ces corbeilles affriolantes, on voyait l'inconnu paraître en transparence. La couture, le long des bas de Roxanne, courait comme une balafre.

Loin, le *show* de l'année dernière, avec ses mannequins ceinturés de cartouchières, arborant des mitraillettes. Mister Fang avait, dit-on, beaucoup apprécié. Roxanne l'avait provoqué à dessein. Ils s'estimaient. Le chef du Guoanbu avait besoin d'une adversaire de son calibre, et Mathoss, d'un salaud de son genre. Cette année, Roxanne avait trouvé la combinaison. Elle reléguerait aux oubliettes le maquillage permanent. Elle aimait étaler son plus bel organe, sa peau. Cela serait le clou du défilé. Dix mannequins arborant des dessous chics tatoués, certains permanents, d'autres éphémères. La styliste allait annoncer l'ouverture de son salon de tatouage, rue Saint-Honoré.

La séduction avait été un prétexte à la résistance. Il fallait résister à la tentation. Rien n'est plus résistant que la sécrétion de l'araignée. Roxanne, la noire, veuve prémonitoire, avait sécrété sa toile. Plus d'un collaborateur s'y était pris. La femme fatale de la résistance, la chef incontestée, aurait pu être fière. Elle donnait bien du fil à retordre au gouvernement de Valenciennes et à l'occupant. Elle se croyait cependant futile et inutile, un jouet virtuel contrôlé par Mister Fang. Alors que tant de ses camarades avaient été pris et torturés par le Guoanbu, pourquoi Fang ne la prenait-il pas? N'était-elle pas désirable? Elle se sentait si vulnérable. Elle savait que, si on le voulait vraiment, elle pouvait être sous les verrous en moins de dix minutes. On ne le voulait pas. Pourquoi l'épargnait-on? D'une certaine façon, on la protégeait. Elle connaissait tant de choses. On pourrait la soumettre à la question. Parlerait-elle? Fang aussi s'exposait imprudemment. Il marchait souvent sans escorte. Elle aurait pu le faire assassiner. Elle avait même interdit, sous peine de représailles terribles, qu'on s'en prenne à lui. Elle ne se comprenait plus. Comment Mister Fang pouvait-il accepter une terroriste ayant pignon sur rue ?

Roxanne Mathoss claqua des mains :

— Allez, les filles ! On remballe !

16

La nuit de Diane

Des sangliers dans le Marais, des ours, des loups et des rhinocéros, et sur les murs, des chiens courants. Camille aimait se retrouver au Musée de la chasse et de la nature, le soir, lorsque son pas, seul, résonnait sur les parquets de chêne des hôtels de Guénégaud et de Mongelas. Le jour, elle y rencontrait son mentor, Héloïse Lambert, la conservatrice. La nuit, souvent, elle y restait. Elle se promenait parmi les cerfs qui s'affrontaient entre les lambris et les fauteuils Louis XV. Elle était chez elle en ce lieu chaleureux et surréaliste où même les licornes se naturalisaient. Elle rêvait, sous des plafonds de plumes, d'envolées de hiboux. Parée de soies et de damas, longeant des forêts de bois précieux, se regardant, Narcisse, dans des loupes de noyer, elle chevauchait des étalons sortis de cadres dorés.

La jeune femme se baissa. Elle sortit une feuille de papier et ramassa des cendres de cigarette. Encore ! pensa-t-elle. Elle en parlerait aux gardiens. Comment cela se pouvait-il ?

Héloïse et le professeur Ping, membre du Conseil d'administration du Musée des arts de la Chine, se voyaient souvent à l'hôtel de Mongelas. Camille les observait en cachette. Ils se tenaient dans le bureau de la conservatrice, de l'autre côté de la cour. Lamaury apercevait leurs silhouettes dans la pièce éclairée. Elle se cachait derrière une tenture. Ce soir-là, elle avait apporté ses jumelles d'opéra. Ils semblaient emportés dans une conversation passionnante et animée. Elle aurait tant voulu savoir ce qu'ils disaient.

Camille n'avait jamais été à l'aise avec le professeur Ping. Elle ne comprenait pas comment sa grand-mère pouvait passer tant d'heures avec lui. Il lui faisait penser à du mercure, terriblement brillant, dense, un paradoxe ambulant, métallique et liquide, lourd et fluide, dangereux, déstabilisant, souriant, insaisissable, jamais là où vous croyiez qu'il était, ne sachant point où il vous emmenait. Vous lui parliez et vous aviez l'impression qu'il se fragmentait en des milliers de perles argentées. Puis soudain, il reprenait forme, implacable, définitif. Vous vous noyiez et tombiez, engluée, dans une cataracte de vif-argent. Vous vous imaginiez à l'abri. Vous vous retourniez. Il était là, se dirigeant vers vous comme une coulée de lave.

— Eu ! Um ! Eu ! Um !

Quelqu'un toussait. Elle ne l'avait pas entendu arriver. Camille se retourna. Louis, le gardien de nuit, se tenait devant elle.

— Je..., émit piteusement la jeune femme.

— Ne vous inquiétez pas. Je ne dirai rien.

Louis détacha un cordon et s'assit dans un fauteuil de velours. Il alluma une cigarette et continua :

— Je n'ai jamais cru ce qu'on dit sur votre compte ni sur celui de votre famille.

— Et qu'est-ce qu'on dit ?

— Vous devriez le savoir...

La stagiaire ne répondit pas.

— Je vous connais, moi, vous voulez passer avec nous.

— Je vous trouve bien imprudent.

— Oh ! j'ai confiance. Ce n'est pas vous qui me donneriez.

— Il est interdit de fumer, vous savez ?

— Ah ! oui. C'est vrai ! J'avais oublié, dit-il, dans un rond de fumée.

Camille avait glissé ses jumelles dans la poche de sa jupe-culotte.

— En tout cas, faites attention : la semaine prochaine, pour la réception, cela sera plein de barbouzes du Guoanbu. Ils sont venus hier faire du repérage.

— Ah !

Louis se leva.

— Pensez-y. Roxanne a besoin de vous et... prenez soin de mes cendres. Et pitié ! Ne me jetez pas dans la gueule du dragon !

— Je ne comprends pas.

— Vous comprendrez !

Il était sorti. Lamaury avait envie de pleurer. Quelle imbécile elle était ! Elle ne voulait qu'une chose : qu'on la laisse tranquille ! Louis pouvait être un agent double. On ne pouvait faire confiance à personne. Elle sursauta. Elle avait failli s'asseoir sur un renard empaillé, lové sur un fauteuil.

Jeudi prochain aurait lieu le lancement de la collaboration entre les équipes chinoise et française du Musée des arts de la Chine. Une conférence serait suivie d'un cocktail. On chuchotait que le président Vodor serait présent. Camille y rencontrerait, pour la première fois, Yu Chi Ming, son supérieur.

Le grand soir était arrivé. Des flambeaux embrasaient le jardin de lumières mordorées. Les hôtes, en smoking ou en robe de soirée, foulaient le gravier, se frayant un passage entre des méandres de buis. Ils pénétraient dans l'édifice, damier de pierres blondes aux fenêtres étincelantes. Héloïse, sur le perron, accueillait ses invités.

L'escalier d'honneur, bruissant sous les soies, faisait écho à des entretiens feutrés. Les talons hauts claquaient sur les marches de marbre. L'on sentait une certaine anxiété. Certains jetaient de rapides regards aux massacres qui garnissaient les murs. Il était bon de faire partie de l'élite, d'être du bon côté du fusil. Il fallait cependant penser à sa propre tête. Elle aussi était mise à prix. La verrait-on un jour transformée en trophée ?

Des hommes à oreillette montaient la garde. Dans le salon du sanglier, un ensemble jouait du Mozart. Des garçons en livrée et des filles en crinoline circulaient parmi la foule, offrant champagne et canapés. Les conversations n'étaient que brouhaha, puis, comme par magie, tout s'harmonisa. On fut prié de gagner l'hôtel de Mongelas et son auditorium garni de sièges en gaufres à la fraise. Comme à l'opéra, on s'éclaircit la voix. Le président Vodor, Héloïse Lambert, suivis du professeur Ping, entrèrent sous les applaudissements. Vodor parla de l'amitié franco-chinoise et de l'afflux de touristes que ce phare culturel allait entraîner. La conservatrice souligna l'inestimable contribution des musées et collectionneurs chinois au patrimoine national. Ping se perdit dans un parallèle fumeux entre les Macédoniens, cheminant dans les vallées d'Afghanistan, apportant en Orient la civilisation grecque, et ses compatriotes, amenant les trésors de l'Asie au centre de Paris. On applaudit poliment. On se dispersa dans les salles pour visiter le musée, voir, se faire voir et déguster un fabuleux cocktail dînatoire arrosé de champagnes millésimés.

Camille, vêtue d'une robe fourreau rouge, attirait bien des regards. Le professeur Ping, accompagné d'Adélaïde, l'aiguilla dans cette assemblée dont elle ne connaissait presque personne. Yu Chi Min était retenu et arriverait en retard. Elle se sentait comme une plongeuse sous-marine nageant parmi les requins. Ils lui tournaient autour en des cercles qui se resserraient dangereusement. Les attaques n'allaient pas tarder. Elle ne quittait pas sa grand-mère et le professeur. Lamaury observait les fonctionnaires chinois. Les sous-fifres témoignaient d'une morgue insolente. Ils se sentaient en territoire conquis et considéraient tous ces barbares avec condescendance. Les dirigeants, eux, avaient de la classe. La jeune femme s'était imaginé Yu dominateur et inflexible. On l'avait détrompée. C'était, semblait-il, un homme solitaire, réservé, respectueux mais surtout génial.

Camille naviguait gauchement parmi les invités, sa flûte à la main. Louis, le gardien, lui avait fait bien des confidences. Cela donnait du piquant à son existence et la changeait de ce vendu de Léopold. Ce soir-là, bien des *têtes de serpent,* ces mafiosi chinois qui traitaient avec le gouvernement de Valenciennes, seraient au rendez-vous. Le grand maître de la *triade de l'origine du chaos,* le fameux Li Bang Pang, serait présent. Il y aurait plusieurs *patrouilleurs des vents,* rabatteurs, chercheurs de talents, et de nombreux *balayeurs,* ces assassins patentés. Camille essayait de les deviner dans la foule. Croisant dans ces eaux troubles, des membres du Guoanbu, le ministère chinois de la Sûreté d'État, se mêleraient aux convives. Des agents de la désinformation et de l'intoxication, des tueurs du *groupe d'extermination des rats pouilleux* et des agents illégaux surnommés *poissons des grands fonds* se presseraient autour des canapés. La jeune stagiaire avait beau être attentive, personne ne lui semblait louche, si ce n'est un homme à l'accent corse, à cravate blanche sur chemise noire, qui parlait avec un gros Chinois obséquieux.

Camille avait pensé qu'elle serait le centre des prévenances de la gent masculine. En un mot, elle avait cru qu'elle se ferait draguer à outrance. Rien n'en était. On l'évitait. Elle ne faisait pas partie des collaborateurs. Le cercle des admirateurs, qui s'était d'abord resserré, se distanciait de plus en plus. Elle en était vexée. Était-elle si moche ? Seul le Corse, saoul comme un verrat, puant la transpiration, au col imbibé de sueur, la poursuivait de ses assiduités. Sinon, elle restait plantée comme une potiche, faisant semblant de regarder les tableaux pour se donner une contenance.

Louis s'approcha d'elle et lui transmit un message codé.

— J'ai retrouvé votre clé, dit-il en désignant discrètement quelqu'un de la tête.

— Merci, Louis !

C'était le signal désignant Li Bang Pang. Camille se tourna pour attraper une bouchée. Pang devisait avec Héloïse. On aurait pu le prendre pour un universitaire distingué. Svelte, la soixantaine, légèrement maniéré, exprimant admirablement son amour des céladons de la dynastie Ming. Camille resta comme un chien à l'arrêt. C'était cet esthète qui commandait le triangle d'or et son héroïne, lui l'empereur du trafic d'êtres humains et de la prostitution, lui qui aurait mille morts sur la conscience ! Le professeur Ping vint, bien à propos, à son aide.

— Venez que je vous présente à l'architecte en chef de notre musée, le célèbre Yu Chi Ming.

Ping la fit accéder à la salle du cerf et du loup, un endroit à accès restreint où seuls les V.I.P. pouvaient pénétrer. L'ambiance était feutrée et les conversations, mesurées. Des lambris et des parquets de chêne, des tapisseries des Flandres et de confortables sofas noirs créaient une ambiance chaude et sereine. D'un côté de la pièce, un loup empaillé, et de l'autre, un cerf naturalisé. Ping dirigea sa compagne vers un homme mince qui se tenait, de dos, en face d'un tableau de Derain. Il lui tapota l'épaule :

— Yu, je vous présente Camille Lamaury dont je vous ai si longuement parlé.

Yu Chi Ming se retourna.

Les deux restèrent interloqués, bouche bée. Camille faillit lâcher son verre. Elle finit par tendre sa main et murmurer :

— Enchantée, monsieur Ming !

— Enchanté, mademoiselle !

— Mais qu'est-ce que cela ? Vous me cachez quelque chose, vous deux ! lança Ping.

— Il se trouve que nous nous sommes déjà croisés, dit Yu en se passant la main dans les cheveux.

— Oui ! Nous nous sommes rencontrés au bois de Vincennes. Monsieur Ming a proposé à mon frère de réparer son cerf-volant, ajouta Lamaury.

— Quelle coïncidence ! Bon ! Je vous laisse, dit Ping en s'éloignant.

Les deux jeunes gens, encore sous le coup de la surprise, restèrent quelques secondes sans parler ni bouger. Camille rompit le silence :

— Vous connaissez le musée ?

— Non, à vrai dire !

— Voudriez-vous que je sois votre guide ?

— Avec plaisir !

Camille lui parla de la pièce où ils se trouvaient, de sa réalisation et de ses objets. Ils sortirent de la salle du cerf et du loup et parcoururent le musée. Yu présenta Lamaury à ses collaborateurs. Elle ne tarda pas à s'apercevoir que, bien que ceux-ci se montrassent révérencieux et serviles en présence de l'architecte en chef, Ming, en fait, n'attirait que le mépris. Elle perçut, à son endroit, bien des signes d'irrévérence. Elle ne se débrouillait pas mal en mandarin et entendit chuchoter des « sale porc de juif », « yeux bridés, queue coupée », « diable jaune au nez crochu », « Shylock aux mirettes en amande » et autres gentillesses. Imperceptiblement, un vide se créait autour d'eux.

— Venez, monsieur Ming, il y a quelque chose que je voudrais vous montrer.

Ils se dirigèrent vers la salle des trophées. Les invités l'avaient désertée. La pièce était trop étroite pour que les employés du traiteur y naviguent. Les hôtes, comme des ruminants à la recherche de prairies, s'étaient déplacés en des lieux où le champagne et les amuse-gueule abondaient. Sur les murs, les massacres regardaient Camille et Yu de haut. Toutes sortes d'antilopes, de gazelles, d'élans, de caribous, de rhinocéros les observaient, le regard fixe. Des panthères, des tigres, des ocelots, des pumas et d'autres félins avaient figé leurs pas en des cages de verre. Des vitrines exhibaient des fusils d'apparat sous un plafond taché de couleurs vives. Yu se demandait ce que sa compagne pouvait aimer dans cet endroit somme toute banal. Camille sortit une télécommande de son sac du soir et l'actionna. Ming entendit des borborygmes, des gargouillements, des grondements, des grommellements, des couinements, des nasillements, des râlements, des sifflements. Il se retourna. Devant lui, une hure de sanglier blanc proférait des menaces, roulant des yeux terribles, se décrochait la mâchoire et claquait des dents. L'architecte éclata de rire. Lamaury l'accompagna dans ce joyeux concert.

— Je vous présente *Sus scrofa albinos*.

— Yu Chi Ming, pour vous servir, dit Yu en s'inclinant devant l'automate, le tranchant de la main droite vertical en face de son plexus, à la manière des moines bouddhistes. La jeune femme s'ésclaffa à nouveau. Son supérieur était vraiment sympathique.

Ils ne parlaient plus maintenant. Leur silence palpitait comme le ventre rond d'une femme enceinte. Parmi la foule, ils se croyaient seuls au monde. Leurs solitudes les unifiaient. Yu se montrait attentif et attentionné. Camille était très à l'aise en sa présence. Il lui semblait qu'elle l'avait toujours connu. Ming se sentait merveilleusement détendu auprès de cette femme si naturelle. D'où lui venait cette puissance maquillée de fragilité ?

Les convives s'écartaient devant eux. On eût dit qu'une vague d'étrave se formait à leur arrivée. Le sillage, derrière eux, prenait du temps à se combler. Ce n'était pas qu'ils fussent pestiférés, maudits, que les autres se sentissent envieux ; il s'agissait de la sensation indicible, indéniable, physique, d'une force mystérieuse dans ce couple étrange. Plus les minutes s'écoulaient, plus ces deux êtres, autres et incompréhensibles, devenaient tabous. Comment Yu Chi Ming daignait-il passer toutes ces heures avec une subalterne, une Blanche, une barbare, une vaincue ? Il ferait mieux d'aller faire sa cour au président Vodor ou à Li Bang Pang. Pour qui se prenait-il pour faire preuve de tant d'indépendance, d'insolence, de non-conformisme ? Pour Mister Fang peut-être ?

Ping, qui les croisa, leur lança un clin d'œil. Au milieu de cette faune entendue, Camille et son compagnon se sentaient complètement déplacés, comme un couple d'ornithorynques chez les canards. Mais si ce musée, cet ensemble de cabinets de curiosité revisités par le XXIe siècle, ces saynètes surréalistes, étaient d'un goût exquis, si les choses qui semblaient déplacées étaient en fait admirablement disposées, Yu et Camille, eux, étaient fauteurs de goût. Camille n'était pas à sa place, Yu était délocalisé, les habitants de l'île Saint-Louis avaient été déplacés. Rien n'était là où ça aurait dû être.

Des chasses à courre s'organisaient sur les murs. Des meutes de limiers poursuivaient un renard. Des domestiques, des collaborateurs traquaient un sauvage. Des foules harcelaient un individu. Des équipages en redingote sonnaient l'hallali. Au loin, dans la brume, un village, une église, et ici la curée. Camille pensa à ces veneurs qui s'entraînaient à jouer du cor au bois de Vincennes ou qui chassaient un pauvre renard qu'ils avaient depuis peu relâché.

Ils pénétrèrent dans une sombre pièce d'où les seules lumières provenaient de niches dans lesquelles se trouvaient de bien étranges objets. C'était la salle dédiée à la licorne. On se serait cru dans une chapelle votive ou un columbarium chaud et surréaliste. Yu se tint longtemps devant une plaque de verre. Une vidéo holographique y était projetée. On y voyait une licorne immobile sous une pluie de cendres. Camille se rapprocha de son compagnon. Le silence vibrait dans leurs tympans.

Et les voici dans la salle d'armes: des boiseries, des vitrines, des fusils gravés, dorés, marquetés, incrustés de nacre et d'ivoire, plus extraordinaires les uns que les autres, des tiroirs que les visiteurs ouvrent et au-dessus desquels ils s'émerveillent à la vue de trésors insoupçonnés comme s'ils inventoriaient les richesses de leurs propres demeures. Camille tira un compartiment au hasard. Elle poussa un cri de frayeur et bondit en arrière. Yu la retint par le bras. Devant elle, sur un lit de peinture gluante, couleur de sang, une chose, un slip, un sous-vêtement de dentelle noire et, sur la bande, ce nom : Roxanne Mathoss. Alertés, Ping et le président Vodor, qui étaient près d'eux, s'approchèrent.

— Mon Dieu ! Ella a ses entrées même ici ! s'exclama le président.

— Ne vous inquiétez pas, Camille, ce n'est rien de personnel, chuchota le professeur.

— On dirait... je veux dire..., dit Yu Chi Ming.

— Non, ce n'était pas la mienne. Vous comprenez... Oh ! tout cela est ridicule.

— Comment a-t-elle fait ? Je ferai mener une enquête. Nous arrêterons les coupables. Elle doit avoir des complices dans ce musée. Cette femme est incroyable. Il faudrait l'arrêter, s'indigna Alexandre.

— Pour avoir fait mettre une de ses créations dans les tiroirs d'une institution culturelle ! Ce bonheur lui échoira bien assez tôt, répliqua l'universitaire.

— Nous vivons une drôle d'époque, n'est-ce pas, mademoiselle Lamaury ? s'essaya l'architecte.

— En effet, j'en perds même le sens de l'humour, répondit la jeune femme.

Ils prirent congé et continuèrent leur visite. Lamaury se remit de ses émotions.

— Ce musée a une âme, murmura-t-elle.

— J'aimerais que le nôtre en ait une également, rétorqua Yu.

— Je n'ai pas vu cela dans le cahier des charges.

L'architecte sourit.

Ils ouvrirent une porte-fenêtre et se tinrent sur le balcon de l'hôtel de Guénégaud. Derrière eux s'atténuait le bruissement des convives. Ils regardaient le ciel. Des milliers de diamants scintillaient dans la nuit. L'air frais leur fit du bien. Ils aspirèrent l'air goulûment. Yu s'accouda à la rambarde de fer forgé.

— J'ai vu que vous aviez apporté, au bois de Vincennes, un livre de Stevenson.

— C'est exact. C'est l'un de mes auteurs préférés.

— *Under the wide and starry sky...*

— *Dig the grave and let me lie...* Ce n'est pas gai, tout ça.

— Vous savez, on revient toujours à la source. *Home is the sailor, home from the sea...*

— *And the hunter, home from the hill*[1]. Allons retrouver nos chasseurs.

Il se faisait tard.

— Je dois rentrer. J'ai des plans à étudier, dit Yu Chi Ming.

— Moi aussi. Je ferais mieux d'y aller.

Ils allèrent prendre leurs manteaux au vestiaire.

— Et comment envisagez-vous votre travail au Musée des arts de la Chine, mademoiselle Lamaury ?

— Je ferai de mon mieux pour mener à bien les tâches qui me seront confiées.

— Ce sera un plaisir de travailler avec vous, mademoiselle Lamaury.

— Ce plaisir sera partagé, monsieur Ming.

Ils se séparèrent. Ils allaient dans des directions différentes. Ils entendaient, sur le pavé, frapper le pas de l'autre.

---

1. *Requiem* – Poème de Robert Louis Stevenson (1850-1894), dans sa version finale. Composé à Hyères, en mai 1884, dans la maisonnette La Solitude, 4, rue Victor Basch lorsque l'auteur se croyait proche de la fin à cause de ses sempiternels problèmes pulmonaires. (Voir poème intégral à la page 199)

17

Le fils cadet de Dieu

Adélaïde avait fini de feuilleter *Marielle*. Elle ne croyait pas un traître mot de ce que relatait Fanny Nachel. Toutes ces histoires de fillettes aux pieds bandés et de mutilations étaient selon elle des affabulations. Elle n'accordait guère plus de crédit au reportage de *Paname* qui présentait un résistant, du doux nom de Belette enragée, comme un suppôt de Satan. Le terroriste clandestin aurait assassiné deux ministres du gouvernement de Valenciennes alors que, dans d'autres cercles, on rapportait que le président Vodor, qui considérait ces hommes comme peu fiables, les aurait liquidés. De Castelvieil tournait rêveusement sa cuiller dans sa tasse de thé. Pierre se trouvait à l'hôpital. Alfred repassait. Elle se mit à lire le journal de Guillaume. Après tout, elle n'avait jamais promis à son petit-fils qu'elle ne consulterait ce document qu'en sa présence.

Shanghai, le 23 février 1926

Mon cher Maurice,

Je n'ai toujours pas eu de nouvelles de toi, ce qui ne m'étonne guère, car le Yang Tsé *des Messageries, sur lequel se trouve la malle postale, est en retard. Parlant de cet armateur, papa m'a dit qu'il correspond avec un certain*

Louis Brauquier, un jeune commissaire de la compagnie dont il apprécie fort la poésie. Il m'a relaté également un bien étrange incident dont le commandant du paquebot Porthos *a été le témoin. Figure-toi qu'il est de tradition, en Chine, qu'on flagelle, pendant tout le voyage, le cadavre d'un Chinois d'outre-mer qui regagne la mère patrie. Le digne capitaine n'a pas osé s'élever contre cet acte monstrueux de peur de créer un incident diplomatique.*

Dans ta dernière missive, tu semblais te vanter de côtoyer le monde interlope des bandits et des proxénètes. Il n'y a vraiment pas de quoi flagorner. Nous, ici, nous avons notre contingent de crapules, dont les fameux mafiosi de l'Union corse, de mèche avec les triades de la Bande verte, qui commandent les fumeries d'opium et les lupanars. Tu n'es pas sans savoir que tes amis d'Ajaccio font, à partir de Marseille, la traite des Blanches, en direction de notre gai Paris oriental. Le plus choquant, cependant, est de savoir que l'administration municipale de notre charmante concession engage des membres notoires des triades, dont les infâmes Yuesheng et Zhang Xiaolin, pour maintenir l'ordre dans une municipalité qui compte maintenant trois cent mille habitants. On leur a assuré le monopole du trafic de l'opium en échange d'un pourcentage sur les transactions et la promesse d'une contribution au maintien de la paix. On ne verrait jamais cela à Marseille, n'est-ce pas ?

Aujourd'hui, je vais nourrir ta fibre romantique et te montrer que les sectes chinoises, dont les triades sont les exemples les plus connus, n'ont pas toujours été des nids de malfaiteurs. Tu conviendras avec moi que la différence entre résistants et terroristes n'est due qu'à une divergence de point de vue. Tout ceci m'amènera à te parler de la révolte des Taiping et de l'impact de celle-ci sur l'administration de notre légation.

Les Chinois ont toujours été friands de sociétés secrètes, mais ce n'est qu'au XVIIe siècle que nous voyons poindre une secte qui, ultimement, donnera naissance aux triades. Il s'agit de l'organisation antimandchoue des moines bouddhistes du monastère de Shaolin, berceau de l'art martial du Kung Fu. Ces bonzes avaient, à cette époque, paradoxalement soutenu la dynastie « étrangère » mandchoue des Qing contre le rétablissement de la lignée purement chinoise (han) des Ming. Au lieu de récompenser ces farouches religieux, les Mandchous les massacrèrent, incendièrent leurs temples. Les survivants furent contraints à une vie errante. Ils fondèrent alors la Société du ciel et de la terre dans le but de « soutenir les Ming, détruire les Qing ». Ainsi naquit un mouvement xénophobe, s'élevant contre les usurpateurs, appelant à rendre la Chine aux Chinois. Ce courant qu'on pourrait qualifier de nationaliste ou de raciste, suivant le point de vue, perdura pendant les deux siècles où allait régner la dynastie des Qing. D'innombrables sectes ou triades se nourrissaient du ressentiment populaire. Aussi, lorsque les diables blancs, *les* longs nez, *débarquèrent en Chine et entreprirent de passer les Chinois à la baïonnette, comme une chrysalide qui aurait vécu, souterrainement, durant des centaines d'années, surgit à la surface de l'Histoire une formation étrange qui fédéra tous ces mécontents et mit, de 1851 à 1864, la Chine à feu et à sang.*

Il s'agit de la Société des adorateurs de Dieu, fondée par un certain Hong Xiuquan. Notre homme avait reçu d'un missionnaire protestant quelques feuillets propageant la bonne parole. Il ne les avait pas lus, mais mis de côté. Hong se présenta aux examens de la fonction publique, mais accumula les échecs. Au troisième de ces revers, il tomba malade, délira, fut pris de visions qu'il ne sut interpréter. Au quatrième insuccès, il étudia les brochures de l'évangélisateur et comprit tout. Ses hallucinations indiquaient, sans l'ombre d'un doute, qu'il était le fils cadet de Dieu et le frère du Christ. Il réalisa que lui, le Messie, avait pour mission de combattre le mal. Il fonda son église, élaborant une synthèse entre l'Ancien Testament et les coutumes des triades. Il commença à prêcher, promouvant la Dynastie céleste de la grande Paix (Taiping). Hong connut tout de suite un immense succès auprès de tous les mécontents que l'incurie gouvernementale devant les catastrophes naturelles et les famines avait engendrés. Les damnés de la terre trouvèrent son programme de réformes sociales radicales fort attrayant. Selon celui-ci, le sol devait être également réparti entre tous les habitants. L'esclavage devait être aboli, la polygamie, interdite, ainsi que le bandage des pieds des femmes. L'égalité entre les sexes était claironnée. Je te ferai remarquer que tes amis communistes considèrent cette rébellion comme une préfiguration de leur politique.

Ce fut un triomphe. Dix-huit provinces du sud de la Chine tombèrent sous leur coupe. Par dizaine de milliers, les frères de sang des triades s'engagèrent dans l'armée des Taiping. En 1853, Nankin fut pris et les insurgés marchèrent sur Pékin. Les comptoirs européens furent dévastés et le gouvernement débordé. Il n'était pas dans l'intérêt des Occidentaux de laisser l'empire sombrer dans l'anarchie. Les puissances européennes vinrent donc, paradoxalement, au secours de l'empereur contre ces chrétiens de fantaisie et sauvèrent la dynastie des Quing.

En 1861, l'empereur Xianfeng mourut. Le pouvoir tomba entre les mains de Tseu-Hi, la concubine de feu Sa Majesté. Hong Xiuquan, devenu fou, avait fait tirer sur les navires étrangers. En 1864, il se suicida en avalant de l'or. Nankin fut repris. Cent mille personnes furent passées au fil de l'épée. La révolte fit entre vingt et trente millions de morts. Peu le savent, mais cette guerre civile constitue le conflit le plus meurtrier de l'humanité. Elle engendra un exode massif et une diaspora. Les Quing n'eurent aucune gratitude envers l'Occident qui les avait sauvés et demeurèrent xénophobes et antichrétiens. En 1870, vingt Français, dont un consul, des religieuses et des missionnaires, furent massacrés et odieusement mutilés. Le traité franco-chinois de 1885, d'autre part, laissa l'Indochine à la France, dont les représentants décidèrent qu'il serait plus facile d'aller embêter les Annamites que de trucider des Chinois.

Fuyant l'anarchie, plus de vingt mille réfugiés des campagnes environnantes s'installèrent dans les zones initialement réservées aux étrangers. Leur présence rendit nécessaire l'organisation de réels services administratifs. C'est ainsi que l'on peut dire que la révolte des Taiping permit de structurer l'administration de notre concession. Voici pour le rappel historique.

Félix est alité. Il n'est pas sorti de sa chambre depuis trois jours. Hier, il m'a demandé quelque chose de bizarre :

— Le soleil se lève à l'est mais, quand on est à l'est, où le soleil se lève-t-il ?

Je lui ai dit qu'il se levait toujours à l'est. Il ne m'a pas cru.

J'avais fondé trop d'espoirs sur ma rencontre avec May Ling, la sœur de mon ami Lu Pa Tong. Je suis amèrement déçu. Il n'y a rien à tirer de cette amazone, de cette suffragette. Elle en fait trop. Mademoiselle veut se montrer moderne, fait du tennis, porte des robes courtes, on lui voit le genou. Elle parle anglais avec l'accent d'Oxford et le français comme les demoiselles de Neuilly. Elle fume la cigarette et s'habille de pantalons. Il ne lui reste plus qu'à lancer des bombes. Elle m'exaspère. Certes, May Ling est très jolie, mais elle n'a pas l'adorable modestie des jeunes Asiatiques. Je sais que, toi, tu l'adoreras. Vous formeriez un couple formidable. Je te la présenterai au cours de ta prochaine visite.

Pense à moi mercredi: papa reçoit les Wong, une famille des plus traditionnelles. Han Tang Wong viendra avec sa femme, Hua, et sa fille, Yut Mei. Je vais mourir d'ennui. Tu diras que je ne sais pas ce que je veux et tu auras raison.

Et voici pour les nouvelles du jour.

Porte-toi bien et fais toutes les bêtises que je n'ose accomplir.

Ton cousin Guillaume

18

La Sibylle

Léopold avait soumis l'idée à Émilie : pourquoi ne pas demander l'aide de Yu Chi Ming pour faire entrer Pierre à la Pitié-Salpêtrière ?

— Tu veux qu'on ouvre une boutique de lingerie Mathoss ? Tu crois qu'on n'a pas eu assez d'avertissements comme ça ? Tu veux qu'ils l'assassinent ?

Rien à faire. Francœur en prit son parti. Dans quelques jours, l'enfant entrerait à Necker, autant dire dans l'antichambre de la mort. Il n'avait pas l'air si mal en point, pourtant. Le dernier sursaut ? Et maintenant, ce chenapan voulait se promener en pousse-pousse !

— Jamais de la vie ! C'est trop risqué ! s'était exclamée la mère.

— Du tout ! Je connais des itinéraires sûrs. Il n'y a aucun risque.

— Il fait trop froid !

— Je l'emmitouflerai.

Les deux femmes ne répondaient pas. Camille regardait ses chaussures. Émilie essuyait ses lunettes.

— Ne vous inquiétez pas ! Pierre ne risque rien !

Il avait dit cela avec une conviction qui avait surpris les deux femmes. Il n'y avait rien à ajouter. Elles acceptèrent. Ils prirent le métro, ligne cinq, jusqu'à la station Laumière. Léopold allait récupérer son véhicule au parc des Buttes-Chaumont. Une fois dans la rue, l'homme mit l'enfant sur ses épaules. Qu'il était léger ! Pierre s'enivrait de son point de vue. Enroulé dans son écharpe indigo, suivant le rythme de sa monture, il était l'enfant bleu du désert montant son dromadaire. Au loin, c'était Montmartre, le Sacré-Cœur. Ils cheminèrent le long de sentiers sinueux, dans des vallons surplombés de falaises. Des mouettes les poursuivaient de leurs ricanements. Francœur assit Pierre sur un banc et, traversant un ruisseau, s'engouffra entre les lèvres humides et moussues d'une grotte. Il passa à travers une cascade. Des stalactites de stuc perlaient des billes émeraude. Quelques secondes plus tard, il émergeait de la cataracte, pataugeant, dégoulinant, tirant son pousse-pousse. L'enfant battit des mains. Ils firent deux fois le tour du parc à toutes les vitesses, du pas au galop. Pierre était aux anges. Léopold s'arrêta plusieurs fois pour boire à des fontaines. Francœur rangea son pousse-pousse, de nouveau, derrière la chute d'eau. L'enfant remonta sur les épaules du joueur de triangle. Le guignol était fermé. L'enfant dit que cela ne faisait rien. Il insista pour monter sur une balançoire. Il riait, riait. Ils firent s'envoler une chouette hulotte. Des étourneaux harcelaient une corneille. Une crécerelle fondit sur un pigeon.

— Il faudrait un contrôleur aérien, lança Léopold.

— J'aurais dû apporter mon cerf-volant.

— On ne peut pas tout faire.

Deux ponts franchissaient des ravins, permettant d'accéder au temple de la Sibylle juché au sommet d'une falaise.

— C'est qui, la Sibylle ?

— C'est un oracle.

— C'est quoi, un oracle ?

— C'est quelqu'un que les imbéciles interrogent pour connaître leur avenir.

— Elle est dans le temple ?

— Non, le temple est vide.

— Elle est partie où, la Sibylle?

— Elle n'a jamais été là. C'est un mythe.

— C'est quoi, un mythe?

— C'est une stupidité dans un emballage cadeau!

— Et on lui fait un temple!

— Sûr, pour elle, c'est toujours Noël!

— Eh ben.

Ils ne prirent pas le pont de pierre, celui des suicidés. L'enfant ne demanda pas pourquoi on le nommait ainsi. Francœur mit à teprre son cavalier. Ils traversèrent le pont suspendu. Le gamin marchait, courait même. On ne l'aurait pas cru malade. Léopold le hissa sur ses épaules. Ils descendirent les cent soixante-treize marches d'un escalier creusé dans le rocher. Ils arrivèrent à un lac. Au milieu, une petite île.

— C'est vrai que dans les îles il y a toujours des trésors?

— Toujours!

Petit Pierre avait sorti des pièces de monnaie de sa poche et les comptait.

— Tu veux faire un dépôt?

— Non, il me manque trois euros pour acheter un *banana split.*

— Tu sais, ta mère ne voudrait pas.

— Maman, elle veut jamais... Tu lui diras pas, hein?

— Non.

— Tu me prêtes trois euros?... Je te les rendrai, promis!

— Dans ce cas, c'est d'accord.

Ils se dirigèrent vers un café, un bungalow blanc et vert juché sous des platanes. Ils s'assirent dans la véranda. Léopold commanda deux *banana split.* Il ne paya que le sien, avançant trois euros au jeune Lamaury.

— Ma sœur, tu l'aimes bien, hein ?

— Bien sûr que je l'aime bien !

— Je veux dire, tu l'aimes beaucoup, beaucoup ?

— Ben oui !

— Je t'ai vu. J'ai vu comment tu la regardes.

— Et comment je la regarde ?

— Comme un amoureux.

Francœur ne répondait pas.

— Et puis, c'est pas tout ce que je sais sur toi...

— Mange ta glace !

Ils marchèrent vers le métro. La main de Pierre était glacée. Sa joie de vivre, sa vitalité s'en allaient comme ce héron qui les survolait, battant l'air de ses longues ailes.

Chez Émilie, il prit l'enfant dans ses bras pour monter l'escalier.

— C'était trop bien, hein ?

— Oui, c'était trop bien !

— On en fera d'autres, des ballades, hein ?

— Sûr !

— Promis ?

— Promis !

19

Appareillage

Tant de monde et si peu de bruit. Les couloirs, les ascenseurs de l'hôpital Necker. Toutes ces trajectoires qui se croisent, tout ce mouvement, toute cette vie. Tous ces bipèdes, ces marcheurs, les infirmières, les médecins, les visiteurs. Toute cette verticalité. Cette course contre le temps. Urgence. Cette odeur de désodorisant. Et puis tous ceux qu'on roule, les vivants, les mourants, ceux qui entrent, ceux qui sont en transit. Ceux qui sortent, les pieds devant. Les brancardiers et leurs civières, les fauteuils roulants. Et les immobiles, les patients, les horizontaux, ceux qui, au bout du rouleau, ont tout leur temps. Et la section d'oncopédiatrie, les enfants, les petits mourants, les jeunes morts. Et derrière les rideaux, les cris et les gémissements. Ceux qu'on attache pour qu'ils ne s'arrachent pas tout leur harnachement. Tout cet appareillage, tous ces tubes, ces poches de sérum, ces pochettes de sang. Tous ces écrans, ces néons, tous ces « bip », ces scintillements. Toutes ces mesures au-delà du visible. Ces télescopes qui scrutent l'invisible. Tous ces trous noirs, ces nébuleuses, tous ces bambins, toutes ces comètes. Et ces lumières crues, tartares, qui saignent tout. Et les salles d'attente et la mort qui attend.

Petit Pierre souriait. Il était content d'avoir de la visite. Adélaïde et Camille se tenaient auprès de lui. La nuit sortait par la fenêtre et entrait le matin.

— Grand-ma, le soleil se lève à l'est, n'est-ce pas ?

— Oui. Bien sûr. Pourquoi ?

— Comme ça !

L'enfant se tourna vers le jour qui venait puis vers sa grand-mère.

— Dommage, je suis trop fatigué pour que vous me lisiez le journal de Guillaume.

— Je ne l'ai pas apporté.

— Vous l'avez continué ?

— Oui, certes.

— Il se débrouille comment, le petit frère ?

— Il fait de son mieux.

— Moi aussi, je fais de mon mieux.

— C'est vrai, mon chéri.

Pierre regarda sa grande sœur.

— Dis, Camille, les gens, après... on les met dans des boîtes, hein ?

— Oui, mais pourquoi tu me parles de ça ?

— Comme ça... Moi, dans ma boîte, je veux qu'on mette mon cerf-volant.

La jeune femme refoula ses larmes.

— Mon chéri, ton cerf-volant, comme tu me l'as demandé, je vais le faire voler tout à l'heure.

— Oui, je sais, mais c'est pour après. Promets quand même.

La jeune femme serra sa froide menotte.

— Je te le promets.

— Grand-maman, si je pars... je veux que vous continuiez de lire ce journal à Alfred.

— Ne parle pas comme ça, chéri. Tu vas guérir. C'est moi qui devrais dire des choses comme ça. Tiens, j'ai dit à ta mère de continuer à te le lire s'il m'arrivait quelque chose.

— Tous mes amis, tous ceux qui étaient ici, à l'hôpital, ben, ils sont plus là. Alors, pourquoi ça serait différent pour moi ?

Adélaïde baissa la tête.

— Et puis Alfred, c'est un robot, dit la vieille dame.

— Ça, je le sais. Ça ne fait rien. Adélaïde, promettez-le-moi.

— Je te le promets.

— Merci, grand-mère.

Une infirmière entra et tapota sa montre.

Les deux femmes posèrent un baiser sur le front de l'enfant. Elles se séparèrent. De Castelvieil rentra chez elle. Lamaury marchait. La rue de Sèvres, déjà, s'animait. Elle se laissa guider par le Centaure de César et arriva à la place Michel Debré. Un groupe de thérapie par le rire s'était assemblé, parmi eux des culs-de-jatte sur leurs planches à roulettes, des hommes-troncs dans leurs fauteuils roulants, des unijambistes, des filles sans nez, des gamins sans oreilles. Tous riaient, à gorge déployée. Leur clameur rebondissait sur des murs sourds-muets. Leurs yeux hurlaient. Camille pressa le pas. Arrivée au métro Duroc, elle attendit longtemps. Elle passa la main dans ses cheveux. Elle avait décidé de les laisser pousser. Cela prenait du temps. Finie, la coupe à la garçonne. Elle avait envie de changer.

Camille avançait vers le bois de Vincennes. Elle regardait ses pieds, ses chaussures qui foulaient le sentier. Elle avait besoin de solide. Elle aurait voulu ne rien penser. Elle ne pouvait s'en empêcher. Elle comprenait Petit Pierre. Lui, il *shootait* dans des cailloux, elle, elle était trop grande. Quelle plaie ! Bien assez tôt, elle regarderait le ciel. Elle voudrait s'y égarer. Le papillon multicolore s'éleva dans les airs. Elle resta presque une heure à le regarder. Il se tenait dans le vent, vrombissant et vibrant. La tête en l'air, elle le vit arriver, le dragon noir. Elle aurait dû s'en douter. Elle n'y avait pas réfléchi. Le cerf-volant recula puis disparut. Camille fixait toujours l'insecte coloré. Elle tremblait. Elle savait ce qui allait arriver. Elle le désirait. Elle le redoutait.

— Bonjour, mademoiselle Lamaury.

— Bonjour, monsieur Ming.

— Je vois que Pierre a fait du beau travail. Son cerf-volant vole fort bien... mais je ne vois pas votre frère.

Camille ramena son aéronef. Elle expliqua toute l'affaire, la maladie de son cadet, l'impossibilité d'obtenir des soins adéquats, l'issue fatale qui l'attendait.

— Mademoiselle, avec mes relations, il me serait possible de faire entrer Petit Pierre à la Pitié-Salpêtrière.

Camille fixait le cerf-volant et ne répondait pas.

— Mademoiselle...

— Oh ! pardonnez-moi. J'étais perdue dans mes pensées. Je vous remercie, monsieur Ming. C'est fort aimable à vous, mais je ne peux accepter.

— Ne me donnez pas aujourd'hui votre réponse définitive. Réfléchissez-y et promettez-moi de me tenir au courant.

— Merci, monsieur Ming. Entendu... Je vais y aller.

Il y avait eu, ce jour-là, beaucoup trop de promesses.

20

AVATARS

Léopold sortit. Il se tint sur le pas de la porte. Il ventait. Il releva le col de son manteau. Un homme ivre titubait, se retenant, parfois, aux lampadaires. Francœur se mit à marcher. Il se dirigea vers l'appartement d'Émilie. Il y reprendrait son triangle. Plus tard, il jouerait avec l'orchestre des Champs-Élysées. Des employés de bureau, avec des allures de conspirateurs, entrèrent dans une fumerie. L'élite avait des plaisirs plus ostentatoires et raffinés. Rue Marignan, un taxi s'arrêta devant un club à la mode, l'Ocyto-cinérama, détenteur de la technologie SCHOSS, *système holistique de sensations synthétiques*. Deux femmes et trois hommes, richement vêtus, descendirent du véhicule et pénétrèrent dans l'établissement. Ils allaient s'offrir une bonne bouffée de jouissances virtuelles dans le cyberespace.

Léopold, qui les avait remarqués, avait une bonne idée de ce qui allait se passer à l'intérieur de l'établissement. Il ne se trompait pas. Les camarades de travail eurent droit à un spa puis à un long massage; enrobés de moelleuses robes de bain, ils sirotèrent du champagne en croquant des macarons. Ils revêtirent ensuite des gants et des combinaisons tactiles couvertes d'électrodes, et chaussèrent de bien étranges lunettes. Ils allaient interagir, en trois dimensions, avec des objets virtuels.

Ce ne fut pas long avant que Robert, le comptable bedonnant, se retrouve en pleine action avec une célèbre starlette, à poil et les quatre fers en l'air. Son ami Gustave le voyait, dans sa cage de verre, s'agiter de manière obscène, faisant l'amour à du néant et caressant un fantôme.

Rose, la directrice du personnel qui n'avait jamais gagné de concours de beauté, avait un rendez-vous galant avec Robert, dont elle était secrètement amoureuse, ou plutôt avec un avatar de celui-ci. Elle se fit refaire synthétiquement le portrait grâce à un logiciel cosmétique. La soirée promettait d'être mémorable. Que faisait-elle de plus répréhensible que l'épouse qui pense à son ami Gilles quand elle fait l'amour avec son mari Paul ? Chacun ses fantasmes.

Yves, le vice-président des finances, préparait le hold-up du siècle. Félice, directrice de l'informatique, visitait les six cent soixante-six pièces de son château. Gustave, le directeur des relations publiques, était en train d'étrangler sa femme. Robert, qui le voyait dans sa cage de verre serrer ce néant qu'il savait être le cou de son épouse, interrompit sa chevauchée lubrique.

La mafia commençait à contrôler ces Sodome et Gomorrhe synthétiques dans lesquelles toutes les perversions, toutes les transgressions étaient permises. Les chantages étaient nombreux, et les protections, redoutables. Des maris trompés par des amants ectoplasmiques et numériques, demandaient le divorce. On cryptait les avatars. On vit, à la télévision, les intellectuels de réconfort, reconnaissables à leurs chemises noires largement déboutonnées, dont la fonction christique était de préserver la bonne conscience, s'inquiéter du flou s'instaurant entre le virtuel et le réel. Dans quelle mesure les anges numériques avaient-ils un sexe réel ? Les mutants du XXIe siècle se situaient dans un univers mouvant où le corps était devenu le lieu d'une transcendance numérique. Pourquoi donc s'en étonner? La vie avait toujours été ce qui arrive alors qu'on pense à autre chose. La réalité était une version dégradée de la virtualité. Ceux qui s'accrochaient encore à la distinction entre virtuel et réel étaient catalogués réactionnaires. On vit naître un nouveau conflit entre anciens et modernes. Des actrices, dont les seins virtuels, cotés en Bourse, s'étaient effondrés, se jetaient par les fenêtres. Le législateur s'intéressa à l'affaire. Dans la balance judiciaire, que pesait un meurtre virtuel par rapport à un crime réel? Y avait-il de doux et de durs délits comme il y avait des drogues douces et dures? Les uns menaient-ils aux autres? Fallait-il limiter l'accès aux projections numériques des contrevenants aux bonnes mœurs, réformer le Code civil, créer des prisons virtuelles? Devait-on établir une déontologie du virtuel? Comment pallier les contre-mesures et le cryptage des avatars holographiques? Toutes ces pensées envahissaient Léopold alors qu'il rêvassait en face de l'Ocyto-cinérama, sous l'œil mauvais du gorille de service. Francœur abhorrait ces faux finis, ces trompe-l'œil holographiques, ces présences de l'absence. Il préférait attraper une MST plutôt que des SMS. Il ne se satisfaisait pas de tenir à distance ses objets de désir.

Dans une moindre mesure, il avait eu son lot de mésaventures. Il avait refusé d'adhérer à Tronchbok, le site convivial bien connu. Il s'était même brouillé avec Raymond, son meilleur ami. Ils avaient tout fait ensemble, s'étaient raconté tous leurs secrets. Puis, un soir, Ray avait envoyé un lien Internet à Francœur lui demandant de devenir son ami sur Tronchbok. Léo avait refusé. Depuis, ils ne se parlaient plus. Ray avait trois cent cinquante-six amis quand il était branché sur le secteur. Il les gardait trois heures sur la batterie. Après, il était seul.

Le gorille se faisait menaçant. Il était temps de bouger. Vingt minutes plus tard, Léopold sonnait chez les Lamaury. Il trouva Camille, Émilie et Adélaïde en plein conseil de famille. Le sort de Petit Pierre était en jeu. On débattait de la proposition de Yu Chi Ming. Francœur se fit des plus discrets. Il alla lire au salon. Les femmes n'arrivaient pas à se décider. Qu'allait devenir leur petit homme? Émilie tergiversait. La nuit lui porterait conseil. Elle prendrait sa décision dès que l'évidence se présenterait à elle. Il se faisait tard. Léo avait récupéré son triangle. Il feuilletait *Paname.* Camille le sortit de sa rêverie :

— Tu sais, cette belette enragée, si je la voyais, je suis sûre que j'aurais le coup de foudre pour elle !

— Dis pas de conneries !

— Je t'assure. C'est mon type de mec !

— N'importe quoi !

— Bon ! Faut que j'y aille !

— Moi aussi !

Ils embrassèrent la mère et la grand-mère.

Camille et Léopold firent un bout de chemin ensemble. Ils prirent le métro. Plusieurs trains passèrent devant eux sans s'arrêter. Étrange ! Francœur regardait les reflets des passagers projetés dans les vitres. On aurait dit des quartiers de viande suspendus à des poignées. Et les avatars révolus, où résidaient-ils? Avaient-ils un purgatoire? Étaient-ils englués, à jamais, dans la Toile? Que devenaient-ils? Un wagon s'approchait en grinçant. Il s'arrêta devant eux. Ils y pénétrèrent. La rame, en sifflant, les emporta.

21

LE BUND

Shanghai, le 3 mars 1926

Mon cher Maurice,

La santé de mon petit frère se détériore. Le docteur dit qu'il n'en a plus pour très longtemps. Maman pleure de plus en plus. Elle le couve bien trop et se comporte avec lui comme avec une plante grasse qu'on inonde. Félix comprend certainement la raison de toute cette attention mais n'en laisse rien paraître. Il se plie, avec une gentillesse désarmante, à toutes les demandes des infirmières. Père passe ses soirées dans son club, en compagnie de femmes avenantes. Maman ferme ses yeux rougis. Depuis une semaine, Félix me supplie de l'emmener sur le Bund, la promenade au bord du Huang Pu, à la nuit tombée. Hier soir, nous y sommes allés. Li, le chauffeur de papa, nous y a conduits dans la belle Peugeot cent cinquante-six. Il a stationné la voiture à un endroit où nous avions une vue magnifique. Il a enlevé sa casquette et a fumé en nous attendant. Il savait que je ne dirais rien aux parents. Félix et moi nous sommes assis sur un banc. Il devait être vingt-deux heures. La lune, dans son dernier quartier, enrobait la ville d'une lumière irréelle. La brise gonflait les voiles d'une jonque. Celle-ci remontait la rivière; ses yeux immenses, peints sur la proue, semblaient scruter la pénombre. Des dizaines de sampans défilaient devant nous, des femmes à la godille. Elles portaient leurs chapeaux de paille de guingois. Partout s'était répandu un silence étrange. Le Yang Tsé, un cargo des Messageries, se dirigeait vers Le Havre, laissant derrière lui une épaisse fumée noire. Son étrave déplaçait un banc de plancton phosphorescent. On eût dit des baves de sperme lactescent. Nous avions perdu le sentiment de l'eau, ne pouvions savoir où commençait sa peau. Nous nous égarions dans un mirage. La sirène du vapeur nous fit sursauter, un son si grave, si prolongé. Félix mit sa main dans la mienne. Il frissonnait. Je l'entourai de mes bras. Sur les sampans, déjà, on avait allumé des lanternes en papier. Les lumières dorées dérivaient sur une laque humide. Du Yang Tsé, au loin, on ne voyait plus qu'un panache, une exhalaison de jais. Cette pieuvre en partance se dissimulait dans son nuage d'encre. Lentement, la fumée s'étiolait. Elle s'élevait indolemment. Ses tentacules, écharpes désunies d'une méduse, montaient là-haut vers les cirrocumulus. Félix grelottait. Je le serrai plus fort.

— Tu as froid? lui demandai-je.

— Non.

— Tu as peur?

— Oui.

Nous retournâmes à la voiture. Félix voulut qu'on roule tout doucement. On aurait pu suivre à pied l'automobile.

Parle-moi de ta vie.

Ton cousin Guillaume

22

Départ

Shanghai, le 13 mars 1926

Mon cher Maurice,

Tu sais, par le télégramme de papa, que le malheur que nous redoutions est arrivé. Notre petit Félix adoré est mort hier à quatre heures vingt-cinq du matin. Samedi, nous allons l'enterrer. Je suis inconsolable et n'arrête pas de pleurer.

Écris-moi vite, je t'en prie.

Guillaume

23

Île Saint-Louis

Des cliquetis, comme ceux d'une colonie de criquets en goguette, montaient du rez-de-chaussée. Assis à son bureau, à l'étage noble de l'hôtel de Lauzun, Yu Chi Ming s'y était habitué. On ne pouvait pas défendre aux gardiens de jouer au mah-jong. L'architecte en chef regardait rêveusement par la fenêtre. Les immeubles du quai des Célestins, de l'autre côté de la Seine, se reflétaient dans l'eau. Il pensait à Camille. Ils avaient valsé ensemble, dix jours auparavant, au bal de l'ambassade de Chine. Il se souvint d'avoir effleuré ses cheveux, qu'elle avait mi-longs maintenant, alors qu'il l'aidait à enfiler son manteau. Que devenait Petit Pierre ? Lamaury n'avait toujours pas répondu à sa proposition. Il n'insisterait pas. Aujourd'hui, il lui avait demandé d'assister à une rencontre avec Zhou Bang Shu, le maître de Feng Shui. Zhou était chargé de vérifier que le nouveau musée et son environnement répondaient aux exigences de la géomancie chinoise.

Camille arriva dix minutes à l'avance. Yu la fit attendre dans l'antichambre. Zhou entra dans le bureau de Ming sans y être invité. Il avait l'air mal luné.

— Yu, j'ai étudié vos plans. J'ai visité les lieux. Cela ne va pas ! Pas du tout !

Ming ne répondit pas mais se leva et fit entrer Camille.

— Mon cher Zhou, je vous présente mon assistante, mademoiselle Lamaury.

— Enchantée, se permit la jeune femme.

Le géomancien fronça les sourcils et se mit à arpenter la pièce.

Yu lança un sourire et un clin d'œil à une Camille perplexe.

Zhu sortit son compas, une roue de bronze couverte d'idéogrammes, et le plaça sur un plan déplié.

— Regardez par vous-même. Cet échafaudage d'acier. Cette tour. Je ne sais pas comment vous l'appelez. Enfin, ce truc des Français. Faut que ça saute !

— Vous voulez faire sauter la tour Eiffel !

— Vous avez une autre solution ? Mauvais Chi ! Très mauvais ! Dangereux ! L'exemple même de la structure destructive. Tous ces angles, toute cette ferraille ! En plein dans l'alignement du musée ! Et votre édifice, Yu, enfermé dans ce rectangle du Champ-de-Mars. L'énergie ne circule pas ! Terrible ! Et vous, mademoiselle l'assistante, j'ai vu vos maquettes ; elles sont catastrophiques ! Trop yin, beaucoup trop yin ! Un catalogue des formes maléfiques ! Tous les dragons de l'infortune, le dragon malade, blessé, mort. Va falloir tout reprendre à zéro.

— Et quand puis-je avoir votre rapport, maître Shu ?

— Vous ne saisissez pas, Yu ! Si je vous soumets mon rapport, vos plans ne seront jamais approuvés !

— Excellent travail, Shu, comme d'habitude ! Rien à redire ! J'attends votre rapport pour lundi prochain.

— Mais !... Mais !

L'architecte mit la main sur l'épaule du géomancien et le dirigea avec douceur mais détermination vers la porte, qu'il referma derrière lui.

Bouleversée, Camille s'était assise dans un grand fauteuil. Elle y disparaissait presque. Yu regardait par la fenêtre.

— C'est terrible ! Ce n'est pas possible ! émit la jeune femme, des sanglots dans la voix. Mais comment est-ce possible ? En 2030 ! Toute cette superstition !

Yu se retourna et s'approcha de Lamaury.

— En effet, cela n'en est pas loin. Vous savez, en Chine, il n'y a pas un seul édifice public, hôpital, ministère, hôtel, et j'en passe, qui n'ait eu l'aval d'un expert en Feng Shui.

— Il faut tout reprendre ; mais c'est terrible !

Camille regarda son patron et ajouta :

— Cela n'a pas l'air de vous affecter.

— Non, en effet !

— Mais recommencer ? Tout recommencer ?

— On ne recommencera rien.

— Je ne comprends pas...

— Zhou aime les petits garçons.

— Je ne vois pas le rapport...

— Mister Fang a toute une collection de photos des plus compromettantes.

— Du chantage ! Ce n'est pas beau !

— Non, mais ça marche.

— Je vous l'accorde.

— Venez ! On a besoin de s'oxygéner.

Les lattes du parquet grinçaient sous leurs pas. Ils quittèrent la chambre du deuxième, que Yu avait transformée en bureau. Juchées au-dessus des portes, des divinités les fixaient de leurs yeux non voyants. Une Vénus triomphante s'étalait au plafond. Ils traversèrent un salon aux boiseries dorées. Des ornements grotesques grimaçaient de partout. Les talons de Camille et de Yu claquaient dans l'escalier de marbre. Ils passèrent, sans un regard, devant Apollon et Minerve s'ennuyant dans leurs niches. Le cliquetis des tuiles de mah-jong s'interrompit. Un gardien vint leur ouvrir. Un policier les salua.

Ils étaient dehors. Camille prit une grande inspiration. Les arbres dénudés, sémaphores agités par le vent, lançaient des S.O.S. Une péniche remontait la Seine. Son sillage s'élargissait, sa vague caressait la berge. Ming et Lamaury marchaient. Après le quai d'Anjou, ce fut le boulevard Henri IV et le quai de Béthune. Ils ne parlaient pas. Personne sur les trottoirs. Au pont de la Tournelle, des chevaux de frise et des barbelés. Des militaires chinois montaient la garde. Camille s'accouda au large parapet. Sur la rive gauche, elle aperçut un pousse-pousse. Léopold s'était arrêté et l'avait vue. Elle se redressa. Ils se remirent à marcher. Soudainement, Camille prit le bras de Yu et se retourna vers Léopold. Elle s'immobilisa. Elle sentait Francœur saigner. Elle ne se comprenait pas. Elle avait agi comme un animal. Un lemming peut-être. Ils continuèrent leur promenade. Ming avait pâli. Son sang avait délaissé son visage pour se réfugier ailleurs. Il fit semblant de renouer un lacet. Il ne reprit pas le bras de Camille. Le pont de la Tournelle devenait une rue traversant l'île Saint-Louis et se prolongeait par le pont Marie, rejoignant la rive droite. Camille prit congé de son patron. Il lui serra la main. Elle rougit et baissa les yeux.

— Au revoir, monsieur Ming. Je vous soumettrai, vendredi, les plans que vous m'avez demandés.

— Entendu, mademoiselle Lamaury. Passez une bonne journée.

Elle partit sans se retourner. À l'hôtel de ville, des ouvriers suspendaient des guirlandes de Noël.

Sur la rive gauche, le pousse-pousse n'avait pas bougé.

24

Yut Mei

Shanghai, le 15 mai 1926

Mon cher Maurice,

Comment pourrais-je un jour te remercier pour toutes ces lettres qui m'ont fait tant de bien ? Voici deux mois que mon petit frère est sous terre. J'ai honte de dire que la vie continue. Je me sens coupable du bonheur qui m'échoit. Je t'en parlerai sous peu. Pourras-tu me pardonner de ne pas t'avoir répondu plus vite ? Je suis d'un égoïsme ! Et dire que je pensais que c'était moi le généreux, le sensible, et toi le pingre, le cérébral ! Quelle découverte merveilleuse et tragique ! Je m'habille de noir, je revis, j'ai le cœur gai. C'est absurde ! Je dois bien décevoir Félix. Je m'excite pour une chimère et en oublie mon frère qui se décompose au cimetière. Comme la vie est étrange ! Comme elle nous rend cruels ! Maman va tous les jours sur la tombe. Papa s'est remis à boire. Il me fait peur. Il a le teint cireux. Ses dents noircissent. Ses yeux sont hagards. Il fume de l'opium. C'est certain. Je l'ai vu, plusieurs fois, se diriger vers le quartier de Jiumudi. En façade, ce ne sont que commerces légitimes mais, en arrière, on ouvre une porte et voici les fumeries. Là aussi travaillent des femmes besogneuses. Mon Dieu ! Je ne peux pas y croire !

Tu te souviens que je t'avais parlé de cette soirée que j'appréhendais tant. Celle où papa recevait les Wong. Moi qui pensais mourir d'ennui, je peux dire aujourd'hui que cette réception a changé ma vie. Maurice, j'ai eu le coup de foudre. Je suis amoureux. Cette Yut Mei, la fille de Han Tang Wong, est un véritable ange. Ce soir-là, nous échangeâmes surtout des regards et quelques paroles. Je sentis que je l'avais toujours connue. Comment est-ce possible ? Une Chinoise ! Si différente de nous. Si étrange, si étrangère ! Je l'ai retrouvée alors que je ne la savais point exister. J'ai compris qu'elle partageait mon émotion et mon trouble. Nous étions emplis de la présence de l'autre. Vivre loin d'elle est un déchirement. Nous nous sommes revus trois fois par la suite. Je dois la rencontrer la semaine prochaine. Son amah, son ancienne nourrice, lui sert de chaperon. Je dois aussi endurer Chen, le garde du corps. Nous nous promenons au jardin de Yu ou sur le Bund. Nous parlons. Nous sommes silencieux et épris.

Je souffre le martyre, car Yut Mei est promise à mon ami Lu Pa Tong. Les parents ont arrangé cela quand Yut Mei et Lu Pa étaient enfants. Ils doivent s'unir dans deux ans. C'est l'alliance typique de deux familles influentes, l'une moderne, l'autre traditionnelle, les deux richissimes. Les deux clans bénéficieraient d'entreprises complémentaires et pourraient ainsi créer un véritable conglomérat chinois.

Yut Mei méprise Tong, qu'elle trouve superficiel et inintéressant, et Lu, playboy vérolé, juge mon adorée aussi appétissante qu'un salsifis. Je n'ai pas le courage de l'enlever. Où irions-nous ? Avec quel argent ? Je ne peux que l'entrevoir et lui donner de furtifs rendez-vous avec la bienveillante complicité de sa nourrice et le silence (acheté) de son garde du corps. Tu comprends donc mon désespoir.

Revenons à notre conversation sur la guerre des Boxers. Je dois dire que tu connais bien cette période et je n'ai rien à redire à ta présentation des faits. Je ne partage cependant pas ta propension à prendre, systématiquement, position pour les Chinois. Je suis très étonné que tu ne me demandes pas des nouvelles de la situation politique qui est la nôtre. Serais-tu devenu un poussiéreux théoricien de l'utopie marxiste ? Ne sais-tu pas que tes amis communistes s'emploient à créer une société paradisiaque à coups de bombes et de charpies humaines ?

Sans vouloir t'alarmer indûment, je te dirais que la situation est très préoccupante. Maman aimerait rentrer en France mais ne peut rapatrier Félix. Papa se sent indispensable, le transport maritime étant plus essentiel que jamais. Depuis le massacre de Nankin Road, en mai dernier, nous sommes en pleine révolution. Cela te réjouira grandement, toi l'intellectuel des terrasses de cafés. Moi, qui suis en plein dedans, je trouve cela bien moins réjouissant. Tu te souviendras, sans doute, que la police de la concession internationale avait tiré sur des manifestants qui soutenaient des ouvriers en grève. Bilan : treize morts et un embrasement de colère dans tout le pays, qui ne s'est toujours pas éteint.

À Paris, les étudiants chinois, venus en France grâce au mouvement Travail-études, ont appuyé cette révolte et obtenu l'appui de tes amis communistes. Ils ont même lancé des appels à l'insoumission aux marins français envoyés pour protéger notre territoire. Cela a valu à un grand nombre d'être expulsés de la métropole. Ils ont ainsi rejoint ce nid de vipères révolutionnaires qu'est devenu Shanghai. Parmi eux, Zhou Enlai et Deng Xiaoping, qui semblent être des leaders et qui ont côtoyé tes camarades. Zhou a pour mission de noyauter les syndicats ouvriers de Shanghai. Et dire que papa avait signé les papiers de Zhou lorsqu'il s'était embarqué sur le Porthos, en 1920, en direction de Marseille, et de Deng quand il avait pris l'André Lebon, l'année dernière. Je suppose que ces passagers de troisième classe ne se sont pas plaints du service déplorable de nos Marseillais cégétistes, comme le font les bourgeois des premières.

Tous ici se souviennent des interminables grèves de 1925, et nous redoutons qu'elles recommencent. Le boycottage économique des Européens, initié par Tchang Kai-chek et son Guomintang, est lui aussi dans les mémoires. Cette année, c'est l'anarchie la plus complète. Tchang pense unifier la Chine en écrasant les Seigneurs de la guerre qui tiennent le nord du pays sous leur coupe. Mao Tsé Tung, un chef communiste, organise des révoltes dans les campagnes. Nationalistes et communistes sont encore officiellement unis, mais nombreux sont ceux qui croient que Tchang veut le pouvoir à lui seul et qu'il va essayer de se débarrasser de ses alliés. Certains Français désirent ériger des barbelés pour séparer notre concession de la ville chinoise. On dit que Tchang Kai Cheik souhaite abolir les enclaves étrangères et les traités signés avec les Occidentaux.

Shanghai est toujours aux mains du Seigneur de la guerre Sun Chuan Fang, mais Tchang penserait à monter du sud, avec ses troupes, pour le déloger. Notre consul général Paul-Émile Naggiar privilégie la collaboration avec les autorités chinoises, quitte à négocier avec les gangsters de la Bande verte, bien présents au conseil municipal et membres de la seule organisation pouvant contrebalancer les syndicats.

Si les Britanniques ont fait appel à vingt-huit navires pour protéger la concession internationale, notre *gouvernement, dans sa grande sagesse, ne nous a donné qu'une compagnie supplémentaire de soldats annamites et quelque trois cents fusiliers marins débarqués des deux bateaux qui croisaient sur le Huang Pu. Avec ce déploiement de forces, nous ne craignons rien...*

Ma jeune vie, avec Yut Mei, vient d'acquérir un sens. Jamais mon amoureuse ne pourra être mienne. Je maudis et bénis le jour qui me la fit connaître. Auparavant, je vivais béatement dans l'ignorance. La connaissance est douloureuse ! Quelle croix que cet amour sans espoir ! Ma seule espérance est de l'entrevoir. Comme un drogué, je m'enivre de sa présence et meurs de son absence.

Dans la ville chinoise, le soir, la mort rôde partout. Elle cherche ses victimes. Dans les ruelles, dans les ruisseaux de sang, aux carrefours des têtes coupées et des corps démembrés, Shanghai entre en frénésie. Je sens son pouls s'affoler. Elle frise l'épilepsie. Nous, pauvres enfants, sommes entraînés dans l'égout de l'Histoire, dans cette nuit tragique d'où, je le sais, nous ne sortirons pas vivants. Tels ces cocktails que le barman du Shanghai Club prépare et lance comme au bowling, ces préparations où les liquides de couleurs différentes ne se mélangent point mais se juxtaposent, ainsi la mort et la vie, dans la cité embrasée, dansent un tango sinistre. Je suis crucifié par mon amour. J'envie ta faculté de te distancier. Je suis comme un pendu qui sent venir et la fin et l'orgasme. J'ai honte de le dire, c'est merveilleux.

Ton cousin Guillaume

25

LUMIÈRES AVEUGLES DE LA NUIT

Émilie marchait dans la nuit, gorgée de calmants. Il avait bien fallu. Elle n'aurait pas tenu sans. Elle avait dû sortir. Elle n'en pouvait plus. On ne pourrait rien lui reprocher. Elle avait été à la hauteur. Elle s'en étonnait presque. Elle n'aurait jamais cru. Les décorations de Noël et les cantiques l'étourdissaient. Petit Pierre aurait aimé. Ses mocassins de cuir ne faisaient pas de bruit. Elle croisa une mammy et son robot. Il portait les courses. L'androïde lui sourit. Elle lui répondit. La vieille dame lui jeta un regard mauvais. Des vieillards indigents s'agrippaient à leurs déambulateurs électriques. Biophones miniatures dans les tympans, des passants parlaient seuls. Ils se faufilaient les uns entre les autres, poursuivant passionnément leurs conversations aveugles. Fébrilité des derniers achats avant les fêtes. Peu résistaient aux mousseux du Xinjiang, vendus au prix d'une piquette française, aussi délicieux que les plus grands champagnes. Il en était de même des truffes du Yunnan, injectées d'aromes artificiels, qui laissaient les trufficulteurs du Périgord crever sur leurs rabassières.

Sur les bancs, des gens regardaient la télévision. Elle se projetait dans leurs lunettes à opacité variable. Ils suivaient les informations ou des émissions à l'eau de rose. Émilie s'assit. Elle fixait le vide, la tête bourdonnante. Il lui semblait entendre des grillons. Elle devait délirer.

Trop de pilules. Une femme, à côté d'elle, surfait sur Internet. C'était Fanny Nachel. Des portraits féminins défilaient entre ses montures Cartier. La journaliste était une habituée de chasseursdescalps.fr. Ce site dévoilait les collaboratrices horizontales, les *tondues* et les *à tondre*. On pouvait assister à leur capture, à leurs humiliations, en direct. Elle fit un arrêt sur image. Celle-là, elle la connaissait, elle l'avait vue dans un cocktail :

À tondre :
Prénom : Camille
Nom : Lamaury
Emploi : Attachée de conservation du patrimoine
Crime : Couche avec l'occupant Yu Chi Ming, architecte en chef du Musée des arts de la Chine.
Date de la tonte : Le 5 janvier 2031

Dans dix-sept jours. Elle mania son communicateur universel, cette petite boule de pâte à modeler qui pouvait prendre la forme d'un bracelet-montre, d'une bague, d'un collier, d'un appareil téléphonique, d'un ordinateur, d'un téléviseur, d'une caméra, d'un enregistreur audio, d'un système de son. Ils étaient loin, les téléphones *transformeurs* qui pouvaient devenir bracelet ou bijou et apparaissaient maintenait d'une rigidité ringarde. Maintenant, tout devenait fluctuant et plastique. Elle réfléchit. Elle fit rebondir la balle sur le trottoir. C'était une bonne décision. Elle malaxa son instrument en forme de télécommande et surfa sur la Toile. Elle entra dans le site du musée de Camille et saisit son adresse courriel. Elle copia le lien des scalpeurs et l'envoya à Lamaury. Il ne s'agissait pas de la prévenir mais de l'angoisser. Les résistants ne manquaient jamais leur coup et administraient leurs sentences le jour prévu avec une précision phénoménale.

Émilie se leva et se dirigea vers le boulevard Haussmann. Elle se surprit à passer de longues minutes, hypnotisée par les vitrines du Printemps et des Galeries Lafayette. La féerie de Noël l'émerveillait. Elle colla son nez au verre comme les enfants qui l'entouraient. Elle n'avait pas peur du ridicule. Des lapins faisaient de la plongée sous-marine. Des grenouilles planaient, poursuivies par des flamants roses. Des ratons laveurs nettoyaient la vaisselle. Des Roumains circulaient sur le trottoir bondé. Ils offraient, pour un prix astronomique, quelques châtaignes calcinées, qu'ils avaient rôties sur des braseros installés dans des caddies volés. Ils enrobaient leurs produits dans du papier journal. Émilie s'acheta une dose de carbone et de plomb. Il était doux de se faire avoir. Cela maintenait un sentiment d'appartenance.

Elle marchait maintenant sur les Champs-Élysées. Elle se souvenait du défilé du 14 juillet. Elle était parmi les personnes qui se pressaient contre les barrières de sécurité. Un régiment d'infanterie chinoise avait fermé la parade. Elle ne pouvait effacer de sa mémoire le bruit saccadé des bottes, les jambes raides haut lancées, ce lieutenant, monté sur un étalon noir, qui chevauchait en avant de sa troupe. Ils étaient passés entre les cuisses de l'Arc de triomphe. Un manifestant avait jeté une poche de sang, groupe A. Le liquide avait dégouliné sur l'asphalte. Le résistant avait été appréhendé. On ne l'avait jamais revu. Elle alla prendre un café. La brume dans son esprit s'estompait. La douleur revenait. Elle revit tout ce qui s'était passé ces derniers jours.

Émilie avait fini par téléphoner à Yu. Elle lui avait dit qu'elle acceptait sa proposition. Il fallait faire quelques démarches. Quatre jours plus tard, Petit Pierre entrait à la Pitié-Salpêtrière. Cette nuit-là, elle s'était endormie sans l'aide d'aucun calmant. À trois heures cinquante-cinq du matin, le téléphone avait sonné. Elle avait compris tout de suite. C'était le médecin de garde. Il avait mis les formes. Il avait l'habitude. Comment n'avait-elle rien senti ? Comment avait-elle pu si bien dormir ? Comment avait-elle pu laisser son enfant mourir seul ? Pourquoi n'avait-elle pas été à son chevet ? Pourquoi avait-elle pris tant de temps pour se décider ? Elle s'en voudrait toute sa vie. Pourquoi Pierre ne l'avait-il pas attendue ? Il ne pouvait plus supporter cette mauvaise mère. Cela était certain.

Il avait neigé pendant la nuit et le cimetière Montmartre, au petit matin, était immaculé. Léopold et Yu Chi Ming portaient le minuscule cercueil. Émilie marchait en tête, suivie de Camille qui donnait la main à Alfred. Adélaïde avait accepté le bras du professeur Ping. Les sons s'étouffaient dans la blancheur ouateuse. Les pas, en crissant, laissaient leurs traces impures. Les érables et les tilleuls faisaient parfois tomber une neige poudreuse. Les fossoyeurs descendirent l'enfant dans le caveau. Les poulies grincèrent. La dernière pelletée était envoyée lorsqu'il se remit à neiger. Tous attendirent longtemps que du blanc se répande sur la terre meurtrie. Une bougie tremblait dans une lampe-tempête. La fille d'Émilie tenait dans ses bras le petit androïde. Alfred, du bout des doigts, séchait les larmes de Camille. Il s'en humectait le visage. Ses pupilles de verre ne focalisaient qu'au loin.

— C'est pas du jeu ! Il ne peut plus sortir, chuchota le robot.

— Je t'en prie, Alfred ! Ne parle pas !

Pierre avait un linceul cerf-volant. La mère se tétanisait de douleur. Léopold et Yu, après s'être frôlé la main sur le bois du cercueil, s'ignoraient majestueusement. Adélaïde s'en voulait d'être toujours vivante. L'ordre des choses ne permettait pas qu'elle enterrât son petit-fils. L'ordre des choses...

Ping essaya de la tirer de son mutisme. Après un ultime recueillement, ils se dirigèrent vers la sortie, laissant sur la neige des cicatrices noires. Tout en marchant, Ping entraînait Adélaïde dans sa rêverie.

— Comment se fait-il que vous connaissiez si bien Paris ?

— J'y fus étudiant. Pendant deux ans, j'ai fréquenté une Parisienne.

— Une intellectuelle germanopratine, j'imagine.

— Du tout. C'était une couturière.

— Vous m'étonnerez toujours, mon cher Jou.

— Je l'espère.

Il lui avait tiré un sourire.

Émilie avait fini son café. Elle mit dans son sac un des deux cubes de sucre. Elle se leva et partit. Elle avait laissé un pourboire.

26

Petit frère

Île Saint-Louis. La lumière de l'après-midi caressait les pierres de l'hôtel de Lauzun. Yu quitta sa table de travail, attiré par la clarté du jour. Il avait eu une bonne matinée, avait réglé bien des problèmes. Ce projet était passionnant. Il se considérait maintenant comme un artiste. Qui l'aurait cru ? Yu Chi Ming, figure centrale de l'art contemporain. Son musée, gigantesque araignée, marquerait l'histoire. Il n'arrivait pas à l'accepter, lui le technicien ! Il en avait presque oublié ce qui lui pesait. Il ouvrit la porte-fenêtre et se tint sur le double balcon, s'accouda à la rambarde de fer. L'air frais lui fit du bien. Un cumulus voila le soleil. Il allait recevoir une autre remontrance des services secrets. Yu releva le col de sa veste. Quelle imprudence ! Se mettre à la merci de n'importe quel tireur ! Se croyait-il immortel ? Pourquoi tenter le sort ? Faire un pied de nez à la mort ? Mourir alors qu'il avait enfin des raisons de vivre, son travail et surtout cette jeune fille, cette Camille, qui ne quittait plus ses pensées ? Il devait être fou.

D'où venait l'hymne national de son pays qui retentissait à tue-tête ? Un bateau-mouche arrivait. Des touristes chinois lui envoyèrent la main. Il leur répondit. Qu'il était étrange d'entendre ce chant au milieu de la Seine ! Le compositeur, ce Nie Er, avait eu le sens du rythme. Cette musique enlevée et tournoyante aurait eu sa place à l'hôtel de Lauzon. On aurait pu en faire une chorégraphie virevoltante et syncopée parmi les froufrous des robes à volants, les plongeons, les révérences et les chapeaux emplumés. Ce n'était pas ce à quoi avaient pensé les révolutionnaires de 1935. Et Nie Er était mort noyé à vingt-trois ans, au Japon, trucidé par des Japonais d'extrême droite ou des nationalistes chinois. Toujours cette eau, liqueur d'oubli, antithèse du feu, de la foudre. Moins bien, les paroles ! pensa Yu.

Debout ! Nous ne voulons plus être des esclaves,
C'est avec notre chair que nous allons
bâtir notre nouvelle muraille.
La nation connaît son plus grand danger,
Chacun doit pousser un dernier cri.
Debout ! Debout ! Debout !
Nous, qui ne faisons plus qu'un,
Bravons les tirs ennemis, en avant !
Bravons les tirs ennemis, en avant !
En avant ! En avant ...vant !

Yu ne put s'empêcher de penser à *La Marseillaise*. Les mots de Rouget de Lisle appelaient des rivières de sang ; ceux de Tian Han, l'écrivain chinois, prônaient le sacrifice. Pourquoi bâtir une nouvelle muraille ? Et cette île Saint-Louis ceinturée de quais, qu'était-elle sinon un encerclement recherché ? La Chine conquérante du XXIe siècle oubliera-t-elle un jour ses années protectionnistes ? Yu n'était pas prêt à pousser son dernier cri, ni ses concitoyens le leur, d'ailleurs. Il existait cependant des similitudes étranges : *La Marseillaise* avait initialement été appelée *Chant des volontaires de l'Armée du Rhin*, l'hymne chinois, *Le chant des volontaires*. Yu se souvint alors qu'on lui avait dit que ce qui devint la chanson patriotique de son pays avait été, à l'origine, la musique de générique d'un film sur la deuxième guerre sino-japonaise intitulé *Fils et filles par temps d'orage*. Tian Han, considéré comme contre-révolutionnaire, finit torturé à mort en 1968. L'œuvre avait porté malheur à ses deux auteurs. Était-ce un message pour Yu ? Ce bateau-mouche était-il porteur de mauvaises nouvelles ? Est-ce que s'approchait le temps des orages ? La malchance, bâton de relais qu'on se passe comme de la dynamite ? Était-ce une maladie contagieuse ? Camille allait avoir la résistance aux trousses. Ce n'était pas un cadeau à lui faire. Yu portait beau, mais il portait malheur. C'était son destin.

Le chant s'éloignait, l'embarcation était passée. Le sillage se refermait. Être comme l'eau, toujours fermer ses plaies.

Yu regarda sa montre. Son invité, Bao, son ami d'enfance, celui qu'il appelait affectueusement son petit frère, son Dì Dì (弟弟), allait bientôt arriver. L'architecte rentra. Il s'assit à son bureau, coudes sur la table et visage dans les mains, le regard perdu. Seul Bao ne l'avait pas laissé tomber. Sa mère l'avait abandonné, son père de même. Il devait être un être répugnant pour que même ceux qui lui avaient donné le jour s'éloignent de lui. Les femelles d'animaux quittent leur progéniture quand elles sentent qu'elle n'est pas viable. Sa mère avait dû percevoir, d'instinct, qu'il en était ainsi de lui. À cause de sa gueule de juif aux yeux bridés, les Han le méprisaient aussi. Un vrai pestiféré ! Ils l'acceptaient, contraints et forcés. Derrière son dos, les couteaux pleuvaient. Qu'avait-il fait pour mériter cette haine féroce ? Savaient-ils, comme il l'avait appris un jour en écoutant aux portes, alors que son oncle Deng parlait à des camarades, que, du côté de sa mère, il venait d'une famille qui avait empoisonné la Chine par le trafic d'opium ? Il était marqué au fer rouge, c'était un criminel. S'il avait des enfants, ceux-ci porteraient cette infamie, et leur descendance également, pour des siècles et des siècles. Tous maudits ! Camille, qu'est-ce qu'elle pouvait bien lui trouver ? Son statut devait l'attirer. Avec son ami Bao, elle était la seule personne à l'avoir accepté. Du rejet, enfin s'échapper ! Être accueilli à bras ouverts ! Deng ne lui avait pas apporté une famille d'accueil, juste un espace de devoir et de ressentiment. Délirer, fonder un foyer, rompre la malédiction ou la perpétuer. Les Français eux aussi le rejetaient. C'était normal, il était l'occupant. Il devait travailler avec les collaborateurs, mais les méprisait. Camille, c'était différent. Pour les compatriotes de Yu, le temps de la rétribution était venu. Ah ! la vengeance dans l'imaginaire chinois. Les Occidentaux récoltaient ce qu'ils avaient semé. À concession française, concession chinoise. C'était une réponse mesurée. On aurait pu demander deux yeux pour un seul. Les Français auraient dû être reconnaissants. Ils n'étaient que des ingrats. D'un autre côté, il ne comprenait pas le message du Christ, tendre l'autre joue. On doit résister. Il admirait Roxanne Mathoss. Toujours pareil, tout et son contraire. Un proverbe chinois disait : « L'eau ne reste pas sur les montagnes ni la vengeance sur un grand cœur. »

Il n'y avait plus de montagnes. Lorsqu'on a été envahi, on a été humilié, violé. Cela laisse des traces indélébiles. La plupart des pays qui ont été occupés, et Dieu sait qu'il y en a, ont eu leurs collaborateurs. Pendant l'occupation japonaise, la Chine a eu les siens. Dès 1932, les Japonais avaient créé le Mandchoukouo dirigé par l'ancien empereur Puyi, qui avait habité la concession japonaise de Tianjin, près de Beijing, de 1925 à 1932. À partir de 1940, diverses autres entités, finalement regroupées dans le gouvernement de Nankin de Wang Jingwei, emphatiquement nommé République de Chine, virent le jour. La Chine n'a pas les velléités de transparence et d'autoflagellation de la France dans ces pages peu reluisantes de son histoire.

Yu était maintenant considéré comme un architecte incontournable, un artiste majeur, pour certains, un génie. Cette adulation était un baume sur son cœur. Il ne se faisait pas d'illusions cependant. Tout change, héros d'un jour, oublié le lendemain. La mode, ogre insatiable, le dévorerait, recracherait ses os sur les trottoirs du monde. Il était sous perfusion. Quand le débrancherait-on ?

Il allait revoir Bao, celui qui l'appelait son Ge Ge (哥哥), son grand frère. Bao avait senti, en filigrane, la détresse de Yu dans les lettres qu'ils avaient échangées. Il lui avait demandé s'il avait du travail pour lui à Paris. Yu serait moins seul et plus fort avec son ami auprès de lui. C'était avant que Camille entre dans sa vie. Yu l'avait engagé comme responsable de toutes les installations électriques du nouveau musée. C'est Bao qui lui avait rendu service et non l'inverse. Il faudrait qu'ils en parlent. Il avait laissé un poste important et prometteur à Shanghai pour se lancer dans une aventure des plus périlleuses. Si les protecteurs de Yu abandonnaient l'architecte, Bao tomberait avec lui. Il n'aurait que des ennemis partout ou, au mieux, des collaborateurs peu diligents. Yu avait essayé de le dissuader, mais Bao avait insisté, mentant comme un arracheur de dents. L'amitié prend parfois des routes bien étranges.

Ils se connaissaient depuis l'école primaire. Lorsque Yu fuguait, n'en pouvant plus d'être battu par Deng ou d'avoir si peu à manger, Bao le cachait dans un recoin de la cour de ses parents et lui apportait de la nourriture. Ils se chuchotèrent leurs secrets et, plus tard, se confièrent leurs premiers émois. Yu était l'aîné d'un an et le mentor de Bao. Il l'aidait à faire ses devoirs. Ils étaient d'excellents élèves. Pour Yu, c'était une façon de recevoir moins de coups. Ils faisaient s'ébattre leur cerf-volant dans le terrain vague, derrière la barre des immeubles. Yu était transfiguré lorsque son aéronef tournoyait dans le ciel. Il acquit une passion pour Benjamin Franklin lorsqu'il apprit ses expérimentations avec des cerfs-volants. Par une nuit d'orage, il voulut refaire sa fameuse expérience avec une grosse clé de fer attachée à la ficelle de l'engin. Deng s'en aperçut à temps et lui ficha la raclée de sa vie. Il lui confisqua la photocopie d'un billet de banque américain de cent dollars à l'effigie de Franklin que Yu gardait dans sa poche comme une relique, la froissa et la jeta à la poubelle. Les deux amis durent se rabattre sur des jeux moins dangereux pour faire des expérimentations avec les phénomènes électriques qui les fascinaient. Certains soirs, Bao empruntait le peigne d'ambre de sa mère. Les enfants enlevaient un vieux chat d'égout souffrant de pelade et lui frottaient l'instrument sur la peau. Dans la noirceur de la ruelle, les étincelles d'électricité statique rendaient le pauvre animal complètement hystérique au grand bonheur des garnements. Devenus étudiants, ils entrèrent à l'école polytechnique en génie électrique et électronique. L'invisibilité, l'instantanéité, le côté fulgurant de cette discipline les enchantaient. Ils avaient juré de ne jamais se quitter. Deng mourut; sa veuve exigea que Yu lui rembourse toutes les années passées avec eux. Il n'y était en rien obligé. Il le fit cependant. Il abandonna l'université. Il devait travailler. Une connaissance l'avait jugé jeune homme d'un grand potentiel, quoi qu'il fasse. Cet homme possédait un cabinet d'architecte. Il l'engagea, lui paya des études dans le domaine. Le reste appartient à l'histoire. Yu gagna concours sur concours et fit décrocher des contrats mirobolants à son employeur. Bao et Yu se voyaient peu. Au tréfonds des mois noirs, quand l'espoir gouttait comme un robinet qui fuit, Yu pensait aux années insouciantes qu'il avait passées auprès de son ami. Peu à peu, il acquit un sincère amour de l'architecture ; son aspect tangible le rassurait. Il trouva cependant l'ineffable dont il se nourrissait dans la beauté de ses réalisations. Malgré son succès professionnel, de lugubres pensées souvent l'envahissaient. Sa vie lui semblait vide. Une pulsion de mort battait dans ses artères. Que tout s'arrête ! Bao serait là bientôt. Enfin arrivait le temps des retrouvailles des âmes des enfants, oubliées, parties dans des corps d'hommes.

L'interphone sonna. Une voix annonça :

— Monsieur Bao est là.

— Bien, qu'il monte.

— Oui, monsieur.

Bao entra, petit homme potelé à la calvitie naissante. Ils tombèrent dans les bras l'un de l'autre.

— Bao !

— Yu !

— Dì Dì !

— Ge Ge !

— Dì Dì !

— Ge Ge !

Le nom de l'autre comme planche de salut. On aurait dit deux bébés qui ânonnaient. Les Chinois raffolent des redoublements de voyelles. Ils s'échangèrent des cadeaux. Bao avait apporté deux rares bouteilles d'alcool de riz. Yu présenta à son ami les clés de son somptueux appartement proche du Champ-de-Mars. Bao avait-il faim ? Il n'avait pas faim. Avait-il soif ? Il n'avait pas soif. Bao avisa un énorme thermos qui trônait sur le bureau de Yu.

— Partageons des tasses d'eau chaude, comme dans le bon vieux temps.

— Pourquoi pas ?

Ils parlèrent pendant des heures. Vers la fin de la soirée, Bao sortit un papier de sa poche, le tendit à son ami. C'était la copie du billet de cent dollars américains, toute froissée.

— Tu l'avais donc trouvée ?

— Oui.

Yu regardait le billet. On venait de lui apporter le sauf-conduit qu'il avait tant chéri. Celui-ci était toujours un laissez-passer, mais vers quelle contrée ?

— Merci !

— Pas de quoi.

Ils se levèrent et allèrent sur le balcon. Il faisait nuit.

— On ne voit que ce qui est éclairé, dit Yu.

— T'as trouvé ça récemment ?

Yu ne rit pas. Il désigna la Seine.

— Ce fleuve, on ne le voit pas, mais il coule, mentionna l'architecte.

— Comme le Huang Pu.

— C'est vrai.

— L'océan devrait déborder.

— C'est vrai.

Chacun savait que l'autre souriait tristement.

Yu leva les yeux au ciel. Paris, Ville Lumière. Trop de lumière, pas assez d'étoiles ! Il aurait voulu de l'obscurité, plus d'obscurité, afin qu'apparaisse, peu à peu, l'éclosion des astres.

27

L'ÉPINGLE DE CUIVRE

Se raccrocher aux signes noirs des pages blanches, comme une noyée à des bouées jetées dans l'écume des mers. Adélaïde lisait.

— Que lisez-vous, madame ? demanda Alfred.

— T'occupes !

— Vous lisez le journal de Guillaume ?

— C'est bien possible !

— Vous savez que vous devez me le lire.

— Tiens, c'est nouveau ça !

— Oui, vous l'avez juré à maître Pierre.

— On aura tout vu.

Adélaïde recommença sa lecture à haute voix :

Shanghai, le 22 juin 1926

Mon cher Maurice,

Le souvenir de mon frère me hante. Mon monde s'est rétréci. Je suis moins riche. Je pleure ma perte comme un pingre se navre d'un trésor dérobé. Je n'en suis pas fier. Je n'en reviens pas d'être si égoïste. Alors que maman va au cimetière, je me promène par les rues. Dans la brume du matin, les vidangeurs de l'aube, les sbires de Bobo les grosses couilles, un des caïds de la Bande verte, recueillent le watong, *l'engrais humain. Je te passe les détails. Des fortunes colossales se sont bâties sur de la merde. Plus tard, je m'enivre de brouhaha et de cohue. La densité de population est phénoménale. Et dire que la concession compte deux cent cinquante mille Chinois pour mille Français ! Cela fait peur. Rue Montauban, je déguste les mets des restaurateurs ambulants. Je croise des bouilleurs de soupes, des éventreurs de porcs, des aplatisseurs de canards. Je me fais casser les oreilles par un tintamarre de cymbales et de sons nasillards. Des dégénérés nomment cela de la musique. Le long de Soochow Creek, des sampans remontent la rivière, une jonque la descend. Sur les docks, des coiffeurs rasent des coolies. Ils me montrent leurs rasoirs et pointent mon cou. Je passe mon chemin. Une chaise à porteurs, d'un baroque délirant, transporte une jeune mariée. Est-elle jolie, la promise cachée dans cette boîte de chocolats dorée ? Sur le* Porthos*, en partance pour Marseille, on embarque trois cents tonnes de cheveux de femmes. Te rends-tu compte ? Les cheminées fument. La sirène vient de faire entendre un son déchirant. Mon cœur saigne. Je suis écartelé entre la France et la Chine. Des Chinois modernes paradent dans un débraillé longtemps perfectionné, pantalons bouffants et foulards de marlous. Une mignonne se meut dans sa jupe fendue. Tes amis surréalistes adoreraient les pompes funèbres d'un parvenu pro-européen. Un dragon ouvre le chemin. Vingt-deux porteurs supportent le catafalque. Aux cacophonies indigènes se mêlent des rengaines de bals-musettes. Monsieur Tong se dirige vers l'au-delà aux accents de « Viens, Poupoule ! Viens ! » On est moderne ou on ne l'est pas. Je marche rue Cardinal-Mercier. Je vais nager au Cercle sportif. On y admet les femmes et les Chinois. Ne me dis pas que nous sommes rétrogrades. Au Palace Hôtel, je commande un picon sans amibes. Je veux m'encanailler.*

Me voici au Grand monde, cet immense tripot. On y joue, on y boit, on y baise. C'est la nuit. Je rentre à la maison. Dans la rue, près de braseros, des joueurs nus, gelés. Ils ont tout perdu, même leurs vêtements. On les désigne de la main. On rit. Certains parient leurs doigts. Ils les coupent sur des planches de bois. Auprès d'eux, un hachoir aiguisé et de l'huile de sésame chaude pour se cautériser.

*Et bien sûr ma Yut Mei. Elle n'est mienne qu'en pensée. Nous nous voyons plusieurs fois par semaine. Nos parents n'approuvent pas cette relation mais ne veulent pas l'interdire. Ils la considèrent comme un enfantillage. Papa est un notable de la concession et monsieur Wong un millionnaire de Shanghai. L'*amah *et le garde du corps sont toujours présents durant nos rencontres. La morale est sauve. Lu n'est pas jaloux et se moque de mes transports. La semaine dernière, nous avons vu une représentation de l'opéra de Pékin. Yut Mei était ravie. Auprès d'elle, j'étais aux anges. La pièce était d'un mortel ennui. Ces cris de chattes étripées résonnent encore dans ma tête. Nous nous promenons. Nous échangeons doux regards et charmantes conversations. Nous allons par la ville chinoise, prenons le thé dans les jardins du Mandarin Yu, admirons la pagode de Longhua. Demain, nos deux familles sont invitées chez Éric Moller, l'armateur scandinave, dans son castel normand de l'avenue Roi Albert. Il y aura aussi toutes les huiles de la Banque d'Indochine et de la compagnie des tramways. Hier, nous étions au café de la Renaissance. Nous avons bien ri. Oui, une Chinoise peut rire. Il faut interpréter. Elle a esquissé un léger sourire. C'est presque, pour elle, se rouler sous la table. Nous nous sommes, en effet, trouvé un point commun bizarre. J'ai un parapluie aux étranges baleines. J'en suis assez fier. Mon pébroc étant cassé, ne pouvant me procurer des fanons de cétacé, je me suis fabriqué des baleines et un manche de* *cuivre. Yut Mei avait une épingle à cheveux en or. Elle l'a perdue. Ses parents lui en ont offert une autre. Elle porte cependant celle de cuivre, immense, que son* amah *a enlevée de sa chevelure et lui a tendue. Elle a trouvé ce geste si touchant ! Alors, tu comprendras que le courant passe bien entre nous. Nous nous sommes quittés sur des paroles plus sombres, plus émouvantes. Elle m'a appelé son Montaigu. Je l'ai nommée ma Capulet. Nos deux sbires n'ont pas saisi. Quel privilège que de connaître un tel amour ! Quelle douleur que de le savoir impossible ! Nous craignons que les tourmentes de l'Histoire nous séparent à jamais. Nous entendons chaque jour plus clairement le vacarme sourd des foules. Nous voudrions être entraînés ensemble dans cette cascade inéluctable.*

Ici, la situation se dégrade inexorablement. L'année passée, c'était le fleuve Jaune qui sortait de son lit, faisant des milliers de morts. Cette année, on entend partout la Faucheuse aiguiser sa faux perfide. La mort de Sun Yat Sen, en mars dernier, a plongé la Chine dans un chaos total. Nous sommes en pleine féodalité militaire. Mes compatriotes craignent que notre concession soit envahie et que nous soyons expulsés, tués ou, pire, torturés. Je ne t'ai pas encore parlé de la troisième guerre de l'opium, celle qui a commencé il y a deux ans entre bandes rivales, opposant les trafiquants d'opium chinois à ceux qui spéculent sur la drogue venant des Indes. En fait, tout a commencé au début du siècle lorsque la Chine a voulu se libérer de sa dépendance narcotique vis-à-vis des Indes et a entrepris la culture du pavot sur son propre territoire. Les triades, auparavant sociétés d'entraide, sont rapidement devenues des gangs de voleurs et d'assassins. Ces commerces interlopes se sont érigés en compagnies d'assurances garantissant la drogue contre le vol et autres dommages. Une façon de légitimer la protection chère aux bandits. Actuellement, à Shanghai, la Bande verte et la Bande rouge se déchirent. Nos politiciens ont misé sur la première. Les Seigneurs de la guerre, qui mettent le pays à feu et à sang, achètent leurs armes avec le profit de l'opium. Il est de notoriété publique que Tchang Kai-chek utilise ses appuis au sein de la Bande verte pour essayer d'éliminer les communistes de Shanghai. Voilà, mon cher Maurice, le monde dans lequel je vis.

Figure-toi qu'hier soir, dans un terrain vague près du jardin des missions catholiques, non loin du consulat de France, a été trouvé un homme, ou plutôt ce qu'il en restait, attaché à un poteau. Ses bras et ses jambes avaient été jetés dans un panier d'osier. On ne lui avait pas coupé la tête, et le malheureux était encore vivant quand on l'a découvert. Il s'agirait d'Alfred Dupont, un négociant en diverses marchandises, dont l'opium. On pense qu'il avait refusé de souscrire une police d'assurances auprès de Du Yuesheng, chef de la Bande verte et membre influent du Conseil municipal. Les rumeurs les plus folles courent également concernant un certain Li Jing Wei, le médecin privé du Seigneur de la guerre Sun Chuan Fang, le véritable maître de Shanghai. Il donne des leçons de dissection à l'université l'Aurore, mais on le soupçonne de dépecer des suspects pour le compte de Fang. C'est un poète, un calligraphe, un peintre, un adepte des arts martiaux et un fin lettré. De mauvaises langues et des maris trompés peignent de lui un plus sombre portrait. D'autres voient en lui un libertin taoïste dont les femmes seraient folles. Voilà dans quel monde de fous je me trouve.

Je t'écris du bureau de papa, sur le Bund, et regarde une jonque qui passe sous ma fenêtre.

Je t'embrasse. Prends soin de toi.

Guillaume

28

UN CAMION DE LAIT

Ce fut un tir croisé. Juste au moment où Camille allait proposer à Yu d'aller voir *Le serpent blanc*, une pièce de l'Opéra de Pékin, l'architecte l'avait invitée à assister à une représentation de *La Tosca* avec la célèbre cantatrice Tu Chin Pei. De la loge du gouvernement chinois, dans les ors et les velours du palais Garnier, elle observait la chanteuse orientale déclamer sa rage dans un italien parfait. Elle trouvait cela étrange. Elle devait être raciste. Lorsque Tu, du haut des murs, se jeta dans le vide, elle voulut s'accrocher à sa robe et partir avec elle. Tomber amoureux, quelle expression terrible ! Plusieurs fois déjà, dans ses pérégrinations sur les structures nouvellement érigées du Musée des arts de la Chine, elle s'était sentie attirée vers le néant. La vacuité de l'air reflétait la sienne. Elle rêvait d'apesanteur et de chute. Elle craignait le contact avec le sol et cette mort peu élégante, la cervelle éclatée, les glaires sanguinolentes. Elle voulait de la beauté partout, jusqu'à la fin. Lorsque, dans cette mise en scène délirante, au milieu du tonnerre des tambours, des feux d'artifice illuminèrent une noirceur de carton, Yu et Camille se sourirent. Seul un embrasement éphémère trouvait grâce à leurs yeux. Seules étaient belles les étoiles filantes. Sur la scène, les éclairs s'éteignaient dans la nuit. C'était propre.

Une fois la pièce finie, ils se levèrent. Yu aida Camille à enfiler son manteau. La jeune femme trouva ce geste touchant. Ming lui effleura les cheveux. Ce soir, il sentirait sur ses doigts son parfum. Il la raccompagna. Elle inséra la grosse clé dans la porte de chêne. Elle entra, laissant l'embrasure entrouverte. Elle disparut. Yu regardait, sur le sol, un filet de lumière. Il entendit ses pas s'estomper. Puis plus rien. Il resta longtemps la tête basse. Il se retourna. Il erra toute la nuit dans la ville. Le lendemain, pour masquer ses yeux cernés aux poches énormes, il chaussa des lunettes de soleil aux montures d'écaille. Dehors, il faisait gris. Le téléphone retentit. C'était Camille. Elle ne viendrait pas travailler. Sa voix était éteinte. Il y avait de la mortalité dans la famille. Sa grand-mère avait été renversée par un véhicule. Yu lui présenta ses condoléances. Il raccrocha, se mit la tête dans les mains. « Ah ! les salauds. »

Émilie avait été la première sur le lieu de l'accident. Adélaïde reposait sur l'asphalte. Ses yeux ouverts regardaient le ciel. Elle semblait sourire. Un filet de sang maquillait ses lèvres. Une auréole carmin entourait ses cheveux blancs. À ses pieds, une mare de lait. Auprès d'elle, un homme s'expliquait avec des policiers. Des ambulanciers et un médecin venaient de faire le triste constat. Il n'y avait plus d'urgence. Alfred était assis sur une borne d'incendie, les yeux fermés. Il se bouchait les oreilles. Il se leva, s'agenouilla et recueillit l'eau du caniveau qu'il étala sur ses joues. Il regardait sa maîtresse. Un gyrophare tournait. L'homme portait un chandail nacré sur lequel on pouvait lire, en grandes lettres noires, YOPLACTA. Il désignait un camion blanc arborant les mêmes signes. Ses mains, qui dansaient sur sa mine défaite, chorégraphiaient un sinistre ballet. Une policière déroulait, sur des piquets, un ruban jaune : « Police. Défense d'entrer. »

Camille arriva en courant. Elle voulut soulever la barrière textile. On l'en empêcha. On parla. Elle pénétra enfin dans le cercle de sang. Le chauffeur, un certain Paul, montrait maintenant Alfred. « C'est lui ! disait-il. Je ne comprends pas pourquoi il m'a dit de passer ! » Un panier à salade s'approcha. On embarqua Paul et Alfred. Le soir même, le robot était chez Émilie. Il n'avait même pas eu besoin d'avocat. On avait coffré le laitier. Le pauvre homme était effondré. Il avait tué, perdu son permis de conduire et son travail. Il resterait à l'ombre une année. Qu'allaient devenir sa femme et ses enfants ? Adélaïde fut chargée dans l'ambulance. Tous feux éteints, le véhicule se dirigea lentement vers la morgue. On se dispersa. Un flic faisait le pied de grue.

Dans l'appartement d'Émilie, la mère et la fille parlaient avec Ping et Léopold. Alfred servait le thé.

— Juste du citron, s'il vous plaît !

C'était trop injuste. Les résistants seuls auraient dû être visés. Un laitier ! Elle avait horreur du lait, n'avait jamais pu le digérer. Mourir d'une façon si banale après avoir cherché le sublime toute sa vie. Pourquoi tant de cruauté ? Léopold passa l'assiette de biscuits au professeur Ping. L'universitaire le remercia et se servit. On enterra Adélaïde. Yu et Léopold croisèrent encore leurs mains sur un cercueil. Une habitude morbide s'était installée. Qui serait le prochain ? Ils se regardaient. Dans un an, combien d'entre eux resteraient ? Quel destin tragique les unissait ? Alfred remplissait le sucrier.

29

Temps d'orage

Je ne sais pas pourquoi il n'y a plus de soleil, toujours ce temps d'orage. Depuis que Yu et moi ne sommes plus ensemble, il n'arrête pas de pleuvoir. Lundi prochain, c'est long. Je le rejoindrai à l'aéroport. Je serais presque partie à Beijing avec lui. Trop impulsive ! J'en ai assez de marcher dans les ténèbres. Si j'avais su que l'amour était une affliction... Je ne supporte plus cette séparation. Coup de cœur, coup de foudre. Je ne fais que prendre des coups. J'ai des ecchymoses partout. C'est physique, dévorant. Nous sommes deux cannibales qui avons peur de nous dire que nous mourons de faim. Cette retenue me tuera. Je vais crier. J'ai l'air d'une idiote dans ce café. Je fais tourner ma cuiller dans ma tasse comme un moulin à prières.

Heureusement, j'ai du travail. Cela me détourne de mon tourment. Je n'aurais jamais cru aimer travailler au Musée d'art chinois, moi la spécialiste de Watteau. Je peux voir Yu plus souvent. Élaborer la mise en place d'un musée d'une telle ampleur me passionne. Cette démesure me met toutefois mal à l'aise. Et si tout n'était qu'une vaste supercherie, si les trésors du futur établissement n'étaient que des faux ? Si le seul but de cette entreprise colossale n'était que d'imposer la prépondérance de la Chine, également, dans le domaine artistique, pour que notre défaite soit totale, évidente, incontestable, définitive ? La Chine a tout inventé ; pourquoi ne s'inventerait-elle pas elle-même dans la seule dimension qu'elle connaisse, le gigantisme ?

Pour certains, il y a un précédent. L'armée de terre cuite du premier empereur, Quin Shi Huangdi, qui daterait du troisième siècle avant Jésus-Christ, fortuitement découverte en 1974 et inscrite en 1987 comme site patrimonial mondial de l'UNESCO, est constituée de huit mille soldats, chevaux et chars. Ce serait la huitième merveille du monde, la dernière grande découverte archéologique du XXe siècle après celle de la tombe de Toutankhamon, mais ce serait, en fait, une imposture, un faux pharaonique. La mystification aurait été organisée par Mao Tsé Tung pour promouvoir la grandeur de son pays et la sienne.

La polémique ne date pas d'hier. Dès 1988, Guy Debord, dans son essai *Commentaires sur la société du spectacle*, qualifie l'armée d'argile de faux bureaucratique. En 2007, Jean Leclerc du Sablon, journaliste de l'agence France Presse ayant vécu de nombreuses années en Chine, émet dans son livre *L'empire de la poudre aux yeux* de sérieux doutes sur l'authenticité de cette découverte. La même année, le diplomate suisse Térence Billeter, qui fut en poste à Beijing, considère l'armée comme fausse. Il se base pour émettre cette affirmation sur le fait que Mao se comparait à Quin Shi Huangdi, qu'il n'est pas fait mention de cette armée dans le *Shiji*, l'histoire de la Chine de Sima Qian, et sur des raisons stylistiques. En 2010, le sinologue Jean Lévi, dans son ouvrage *La Chine est un cheval et l'univers une idée*, affirme que les soldats sont factices et qu'ils ont été réalisés industriellement sous Mao. Il fonde sa critique sur des raisons esthétiques et sur le stupéfiant état de conservation des objets. Ce qui l'étonne surtout, c'est qu'aucun doute n'ait été émis par les spécialistes...

L'argumentation des *négationnistes* me laisse sur ma faim. Comment se fait-il qu'aucun d'eux ne soit archéologue ? Il y aurait certainement eu des centaines, si ce n'est des milliers de personnes qui auraient participé à cette supercherie. Comment se fait-il qu'aucune d'elles ou qu'aucun de leurs descendants n'ait vendu la mèche ? Ont-ils tous été emmurés vifs comme l'auraient été les bâtisseurs de l'armée des ombres ? Je ne suis pas du tout convaincue. Je trouve surprenant que la tombe de l'empereur elle-même, qui doit se trouver sous le tumulus immanquable dans cette immense plaine, n'ait jamais été explorée alors que l'on s'échine à déterrer ces milliers de fantassins poussiéreux. Le doute, c'est mon fonds de commerce.

Si la Chine est l'usine du monde, pourquoi ne réglerait-elle pas, une fois pour toutes, la question archéologique ? Pourquoi n'opterait-elle pas pour une solution finale à l'envers, employant la pléthore au lieu de l'élimination ? Peu importe qu'un chat soit blanc ou noir, s'il attrape la souris, c'est un bon chat. Deng Xiaoping, 1962. Pas besoin de dessin ! Serions-nous des souris ? Cette problématique me fait me poser des questions sur mon métier. L'authenticité serait-elle une valeur ringarde ? Je souris toute seule. Le garçon de café n'arrête pas de me zieuter. Pourvu qu'il ne me vire pas. Je suis bien ici. Si une chose est trop belle pour être vraie, il y a de fortes chances qu'elle soit fausse. L'armée du premier empereur est trop belle, trop parfaite, trop bien conservée. Sa facture est complètement anachronique. On dirait du réalisme soviétique.

S'il s'agit d'une mystification, celle-ci n'a pu avoir lieu qu'avec la complicité des savants du monde entier. Dans quel but ? Ce serait un chef-d'œuvre de mise en espace. Une leçon pour les siècles des siècles.

Pourquoi donc les Chinois n'exporteraient-ils pas leur culture avec leurs produits? Nous l'avons fait avant eux. Pourquoi leur nierions-nous ce droit comme nous avons voulu leur interdire de polluer? Nous l'avons fait également avant eux. Pourquoi nous et pas eux? Pourquoi n'inventeraient-ils pas une mythologie? Ne l'avons-nous pas fait? Pourquoi ne mentiraient-ils pas? Nous avons bien menti. Nous les avons roulés dans la farine de riz avec nos traités inégaux. Pourquoi auraient-ils des problèmes de conscience? En avions-nous quand nous avions encore faim? Maintenant, nous sommes repus et nous faisons des bulles avec nos problèmes de conscience; libre à nous! Ils font du *dumping* culturel! Haut les moteurs! La France tient toujours la première place dans ce domaine, que je sache. Si cette offensive fait partie d'une propagande nationaliste et patriotique, ils ont eu de bons maîtres.

Nous, Français, qui nous pensons culturellement le centre de l'univers, sommes en train de vivre notre révolution copernicienne. Bien que nous nous en défendions et que, pour respecter les diktats du politiquement correct, nous ayons mis au ban le « nos ancêtres les Gaulois », nous sommes en train de le remplacer, grâce à la prévenance de nos nouveaux amis, par un « nos ancêtres les Chinois ». Ne nous disent-ils pas: « Nous avons fait votre passé, nous faisons votre présent, nous ferons votre avenir. »?

Quand, en 1965, André Malraux et Mao Tsé Tung se rencontrent, échangent-ils leurs vues sur leurs musées imaginaires?

Je ferais mieux de penser à la mise en espace de l'exposition que je prépare au lieu de me perdre en conjectures sur des choses qui ne me concernent pas. L'événement s'appellera *Voilà ce que la civilisation a fait à la barbarie!* et reprendra une phrase de la lettre de Victor Hugo au capitaine Butler, dans laquelle il signifiait son indignation quant au sac du Palais d'été de Beijing, perpétré par un corps expéditionnaire franco-anglais en 1860, lors de la seconde guerre de l'opium. Ce palais était l'une des merveilles du monde. Les Français l'ont dévalisé méthodiquement pour approvisionner le marché de l'art, puis saccagé. Les Anglais l'ont brûlé. Ces exactions auraient été décidées en représailles à l'exécution de prisonniers européens torturés à mort. Les journalistes de l'époque avaient joliment baptisé ce crime du nom de « déménagement ». Roxanne Mathoss a promis de placarder sur le musée le slogan « Ceci est la récompense de la perfidie et de la cruauté », phrase qui avait été inscrite, en chinois, par les soldats occidentaux, sur les ruines fumantes. Le clou de l'exposition sera une maquette du palais original et une reconstitution de sa destruction. Des objets viendront du cabinet de laque du château de Fontainebleau, qui abrite des trésors volés, des panneaux de paravents, des vases, des émaux cloisonnés, une collection de porcelaines, des jades. Ces œuvres avaient été offertes à l'impératrice Eugénie, la patronne de cette glorieuse expédition. À Beijing même, différents projets de reconstruction avaient été élaborés, mais on a finalement choisi, en mémoire de cette infamie, de laisser les lieux en l'état, comme un Ground Zero chinois. Cette exposition donnera l'occasion à l'occupant de nous frotter le nez dans nos déjections. Le premier ministre britannique a déjà manifesté son déplaisir. Le gouvernement français va battre sa coulpe. Le président Vodor va faire preuve de toute la bassesse dont il est capable pour demeurer dans les bonnes grâces de ses nouveaux maîtres.

Je réalise qu'il me fait du bien de m'abandonner à ces élucubrations esthétiques; j'en oublie mes problèmes. Je suis vraiment une intello pourrie : au lieu de penser à ma famille, à la nation en danger, occupée, je me perds dans l'esthétisme. Je suis obsédée. Tant mieux !

Si j'ai accepté ce poste, c'est parce que c'est le seul que j'ai pu obtenir. J'avais fait d'autres demandes. On dirait qu'on m'a sabordée, qu'on voulait qu'il ne me reste que le musée chinois. Héloïse Lambert, bien sûr ! Elle était sûre que j'allais tomber sous son charme, qu'elle me tiendrait à sa merci. Elle avait entendu parler de mes égarements de jeunesse. Je devais travailler à tout prix, gagner de l'argent pour payer les soins de Petit Pierre. Si j'oublie l'amour que j'ai pour Yu et n'envisage que le travail, je ne suis pas certaine d'avoir fait le bon choix. Si Yu tombe en disgrâce ou si le gouvernement de Vodor s'effondre, je suis grillée jusqu'à la fin des temps. Il ne me restera qu'à nettoyer des couloirs d'hôpitaux la nuit ou à changer des couches dans des maisons de retraite. La santé de mon frère me préoccupe vraiment. Il est si adorable. Le perdre me tuerait. Ma mère dépérit à vue d'œil. Si Pierre part, je la perdrai aussi. Il n'y a que ma grand-mère qui allait bien. Je n'aimais pas qu'elle fréquentât le professeur Ping. Qui suis-je pour lui donner des leçons ? Léopold est le pire d'entre nous. Comment peut-il s'humilier ainsi ? Je n'aurais jamais cru cela de lui. Le seul qui ait un sens moral, c'est Alfred. C'est tout dire !

Une semaine encore avant que Yu ne revienne. Est-ce un suicide que cet amour ? Nous sommes condamnés. Cela ne pourra jamais marcher. Ils ne nous laisseront pas en paix, les nôtres, les leurs. Je vois Cupidon, sur le sol se projette l'ombre de la grande Faucheuse. Sommes-nous marqués du sceau de la mort ? Je me sens comme le Suréna de Corneille : « Je sais ce qu'à mon cœur coûtera votre vue, mais qui cherche à mourir doit chercher ce qui tue. »

30

Leurs cœurs aux vaincus

Cinq janvier 2031. Quatorze heures et rien ne s'était passé. Camille avait pensé se déclarer malade. Ses ennemis auraient gagné. Elle travaillait au musée Guimet. Elle avait fermé sa porte à double tour et décroché le téléphone. Elle ne risquait rien. Son portable avait sonné. C'était Yu. Elle devait le rejoindre sur l'île Saint-Louis. Elle faillit lui faire part de ses craintes. Elle n'en fit rien. Elle prit toutes les précautions et appela un taxi. Elle n'aurait pas dû. Dès qu'elle entendit les portières se verrouiller, elle comprit. Elle se détendit. Il était bon de ne pas pouvoir échapper à son destin. On n'allait pas la tuer. Que risquait-elle ? Une coupe de cheveux ? La honte ? La perte de sa féminité ? Elle porterait sur elle la marque d'un péché qu'elle voulait avoir commis, mais qu'elle n'avait pu perpétrer. Elle sourit. Qu'ils étaient cons ! Ils n'avaient rien compris. Elle gagnait sur toute la ligne. Et puis les perruques, ça existait. Elle en avait choisi une superbe qu'elle serrait dans sa poche.

Le taxi s'arrêta dans un stationnement souterrain. On la fit sortir sans ménagement et s'assoir sur un tabouret en face d'un projecteur et d'une caméra. Un homme cagoulé, maniant une tondeuse, lui mit la boule à zéro. Elle ramassa ses mèches.

— Tu comptes les recoller ? lui lança son bourreau.

Il prit son attirail et remonta dans la voiture, qui démarra en trombe.

Camille resta immobile plusieurs minutes. Elle passait ses mains sur son crâne comme sur la tête d'un nouveau-né. Elle se leva et mit sa perruque, qu'elle ajusta au moyen d'un miroir de poche. Elle sortit du parking et se dirigea vers un métro. Son portable retentit. Héloïse Lambert lui adressait un texto :

— Je vous ai vue sur chasseursdescalps.fr. Votre nouvelle coupe vous va à ravir. Félicitations et le bonjour à Yu ! N'oubliez pas la contrepèterie célèbre : « Les femmes donnent leurs cœurs aux vaincus. »

— La salope ! pensa Camille, mais elle ne répondit pas. Elle ne frappa point à la porte. Yu resta bouche bée. Ils se jetèrent l'un sur l'autre. Ming serra Lamaury dans ses bras. Il baisa son crâne. Ils demeurèrent plusieurs secondes enlacés. Camille aurait pu lever la tête, et l'irréparable aurait été commis. Yu l'aurait embrassée et après... L'après était connu. Elle n'en fit rien. Ming relâcha son étreinte.

Gênée mais déterminée, Camille sortit ses mèches de sa poche et les posa sur le bureau de l'architecte en chef. On eût dit une relique, aussi affriolante qu'une toison pubienne. Yu les porta à son nez, ferma les yeux et inspira. Il se sentit l'homme le plus lâche de l'univers.

— Ils pensent que... commença Camille.

— Oui, je sais, j'ai eu un texto de madame Lambert.

— Que lui avez-vous répondu ?

— Que j'étais désolé.

— Bien !

— C'est ma faute, je n'aurais jamais dû vous demander de venir.

— C'est injuste, nous n'avons rien fait.

— Oui, c'est injuste.

Yu prit la main de Camille et emmena la femme vers la fenêtre. Une péniche remontait la Seine.

31

MISE À LA TERRE

Les nuages s'amoncelaient. La pièce s'assombrit. Un doigt métallique alluma les lumières.

— Vos pilules, madame !

— Merci, Alfred !

Émilie avala ses calmants et but le verre d'eau que lui tendait son domestique.

— Tu es très gentil, tu sais ? dit Lamaury en caressant la tête chauve du robot.

— Merci, madame !

— Je lisais... Veux-tu que je lise pour toi ?

— Oh ! oui, madame.

Shanghai, le 2 août 1926

Mon cher Maurice,

*Joke Mey You Fung, la branche faîtière du bambou qui se balance dans la brise. Tel est le surnom que les parents de Yut Mei lui donnent par dérision. Pour eux, elle n'est qu'une rêveuse éthérée qui n'a aucun contact avec la réalité, qui ne touche pas terre. Je trouve, pour ma part, ce sobriquet d'une grande poésie. Il la représente avec tant de justesse. J'attendais cette date avec empressement. Ce soir, je rencontrerai mon aimée, seule, dans les jardins du Mandarin Yu. J'ai soudoyé l'*amah *et Chen, le garde du* *corps. Nous serons libres enfin. J'y vais sous peu. J'entends le grondement du tonnerre. Les éclairs déchirent le ciel. La foudre vient de s'abattre sur la maison voisine. Nous savons ce que nous faisons. Nous nous sommes juré un éternel amour. Tu dois comprendre notre état d'esprit et notre détermination. Loin de ton intellectualisme didactique, je sens que tu laisses, volontairement, l'essentiel inexprimé. La pluie crépite sur les vitres comme une mitrailleuse. Je ne crains rien, j'ai mon parapluie. Ris avec moi, mon cher Maurice. J'ai hâte de serrer mon amour dans mes bras. Nous redoutons plus le torrent de l'Histoire que le feu du ciel. Allez, j'y vais. Je t'embrasse. Tu as toujours été mon plus fidèle et mon meilleur ami.*

Ton cousin Guillaume

Émilie posa la lettre. C'était la dernière. Personne ne sut ce qu'il advint du jeune homme et de son amoureuse. Ils disparurent corps et biens. Alfred se leva. Il s'approcha de la fenêtre, fit glisser un rideau dans sa froide menotte. On entendit un roulement de tonnerre lointain. Dans la maison d'en face, une femme peignait ses longs cheveux.

32

Le dragon

Des cumulus poussés par un vent violent peignaient sur les trottoirs leurs ombres fantastiques. Au milieu du Champ-de-Mars, le Musée des arts de la Chine, telle une tarentule, semblait se déplacer sur des pinces acérées. Il s'arrêta enfin, agitant sur le sol ses crochets, ses mandibules. Une bourrasque soudaine le fit se lever sur ses pattes arrière. Yu avançait lentement entre les piliers nouvellement dressés. Il s'apprêtait à prendre son véhicule, à quitter l'édifice. Il ramassa un rouleau de fil de cuivre, qu'il jeta dans le coffre de sa voiture. Les ouvriers étaient si négligents ! Cette bobine valait une fortune. Elle aurait été volée. Cela était certain. Ming se dirigea vers le Musée de la chasse et de la nature. Il devait y déposer un paquet pour le professeur Ping. Il le laissa à Nissim, le portier, et rentra chez lui.

Ping déballa avec convoitise le colis qu'on venait de lui apporter. Il allait s'offrir un peu de rêverie avant de recevoir Émilie Lamaury. Il avait repris avec la fille les conversations qu'il avait eues avec la mère. L'hôtel de Mongelas était maintenant fermé au public. Ping en avait fait sa retraite privée. Le gouvernement chinois y planifiait, à l'abri des regards, l'extension de sa concession territoriale à d'autres arrondissements.

Jou Tsung Ping glissa une fleur de pêcher dans une fiole d'or. Il ouvrit la fenêtre et se pencha sur la cour. Un dragon de Komodo y mangeait son repas. Il levait haut la tête, déglutissant. Des morceaux de viande, par à-coups, descendaient dans sa gueule. Jou savait d'où provenaient ces chairs. Que le monde est cruel, pensa-t-il. Il alla s'étendre sur un bat-flanc. Il alluma la lampe à huile et roula entre ses doigts la pâte noirâtre et visqueuse. Un pois d'opium se formait. Le professeur le piqua d'une longue aiguille d'acier et l'approcha de la flamme. La boule se boursouflait et cuisait. Elle était prête. Il la déposa dans le trou de sa pipe et la perça de sa tige effilée. Il avança le fourneau près du feu et prit trois longues aspirations.

Ping avait les yeux fermés. Alexandre longeait l'Amou-Daria. Héphaïston marchait à ses côtés. Bucéphale hennit. Au loin s'étalait l'Hindu-Kush. Combien de cols devrait-on franchir ? Combien d'hommes devraient encore périr ? Et ces rugissements ! Ces déchirements ! Ces léopards des neiges qui vous glaçaient les sangs ! Ces glaires noires sur un linceul d'or blanc ! Ping tourna la tête. Un cerf le regardait. Sur une commode Louis XV, un chasseur de Meissen ouvrait les pattes d'une biche et y plongeait son dard. Jou se boucha les oreilles. À travers les peintures et les cadres, on sonnait l'hallali. Une meute de Français noir et blanc se perdait dans le vent. La rosée du matin refroidissait leurs sens. Les bêtes noires et fauves, celles puantes aux allures alarmées, toutes redoutaient les veneurs qui maintenant s'approchaient. On lançait la chair d'un cheval mort en nourriture aux chiens. Au loin, on sonnait les honneurs. Les heures passèrent. Un pendule oscillait. Une horloge tinta cinq heures. Ping sortit des songes. Le professeur se leva, jeta de l'eau froide sur son visage, se changea. Il entendait déjà des pas dans l'escalier. On frappa.

— Entrez, Émilie ! Quel bonheur de vous voir !

Ping agita une clochette. Des domestiques apportèrent du thé et des assiettes superposées pleines de pâtisseries. Le professeur et son hôte se désaltérèrent, picorèrent et parlèrent longtemps de choses et d'autres. Émilie dit qu'elle prenait des calmants pour soulager son deuil. Jou Tsung Ping promit de lui trouver les meilleurs médecins.

— N'est-ce pas à mourir de penser que la Chine veuille maintenant réaliser son Amérique en allant en Europe alors que l'Europe a découvert l'Amérique en voulant aller en Chine, s'exclama Émilie.

— Oui, c'est à mourir! répondit Ping en se tournant vers la cour.

Émilie regarda sa montre.

— Professeur Ping, il se fait tard. Je ne voudrais pas abuser de votre hospitalité. Merci pour cette rencontre exquise.

— Tout le plaisir fut pour moi, madame Lamaury.

Émilie sortit. Ping se pencha à la fenêtre. Le dragon s'était assoupi. Il digérait.

33

Les Âmes du purgatoire

Assis sur un banc, Yu regardait un amuseur public gonfler des ballons multicolores. Il les tordait, les nouait. Des animaux désopilants naissaient. Une ribambelle d'enfants l'entourait, riait. Il leur lançait ses créations. Les gamins se les disputaient. Parfois, le saltimbanque piquait une aiguille dans un renflement et la baudruche, ridicule, se dégonflait. Yu était triste. Ce bateleur, c'était lui. Il avait créé des formes insolites, des images incongrues. Il avait émerveillé ses concitoyens. Il s'était agité, avait amusé la galerie. À quoi bon ?

Yu Chi Ming se leva. Il marchait. Il se sentait aussi déterminé qu'un missile sur une trajectoire. Les jeux étaient faits. Était-ce bien ? Était-ce mal ? Il ne le savait. Il traversa la place de la Bastille et le faubourg Saint-Antoine. Il se croyait dans un village. Au fond, l'église Sainte-Marguerite avec ses murs peints en blanc et ses toits gris. Il y entra. Ses pas résonnaient sur les dalles. Une lumière dorée filtrait à travers les vitraux et les œils-de-bœuf. Yu poussa une grille. Camille se tenait au fond de la chapelle des anges du purgatoire, près de l'autel. Il avança. Elle lui sourit. L'architecte était ébahi. Quelle salle incroyable ! Il approcha sa main d'un mur. Camille le retint.

— Il ne faut pas toucher, dit-elle dans un murmure.

Autour d'eux, des colonnes, des statues sortant d'une grisaille. Au plafond, une constellation de caissons Renaissance.

— Tout est faux ? demanda Yu Chi Ming.

— Tout est peint... Du trompe-l'œil.

Soudain le noir, presque total. Camille appuya sur une minuterie. La lumière revint.

Ils se faisaient face. Pour la première fois, ils se regardaient dans les yeux. Yu entra dans un océan mystérieux et immense, aux vaguelettes miroitantes, aux profondeurs démesurées. Des vaisseaux y avaient sombré, des sous-marins s'y déplaçaient sans bruit. Une raie manta montait, baissait ses ailes, traversant l'infini. Cette mer créait la vie. Il voulait y plonger, la connaître. Il contemplait l'horizon sur les bords de la plage. Il se sentait en présence du tout et restait bouche bée. Tant de force, de faiblesse et de mortalité. Camille tombait dans des vertiges. Elle titubait sur un rivage immense qui lui semblait familier. Toutes ces années passées en aliénée. Elle résistait. Elle savait. Si elle partait, elle ne reviendrait jamais. Elle voulait venir. Plusieurs fois, la lumière s'éteignit et fut rallumée.

Ils sortirent, marchèrent côte à côte. Ils ne se parlaient pas. Ils se quittèrent avenue du Bel-Air.

34

VENIR

Il n'aurait jamais dû. Il le regretterait toute sa vie. Au départ, il s'était dit que cela lui permettrait de mieux apprécier Camille. Quel hypocrite ! Yu la faisait suivre. Il connaissait tout, son emploi du temps, les personnes qu'elle rencontrait. Ce samedi-là, il donna congé de filature aux hommes du Guoanbu. Il allait les remplacer. Il prit sa propre voiture. Il pensa que les vitres teintées garantiraient son incognito. Yu Chi Ming attendit longtemps en bas de l'immeuble de Camille. En fin d'après-midi, elle sortit enfin. Il la suivit. Tâche facile. Elle empruntait les grands boulevards. On aurait dit qu'elle faisait tout pour lui simplifier le travail. Elle s'assit à la terrasse d'un bar. Yu se stationna non loin. Elle lisait un journal de mode. Léopold vint la rejoindre. Ils parlèrent pendant des heures. Ils semblaient refaire le monde. Parfois, ils approchaient leurs visages l'un de l'autre et chuchotaient. Ming s'ankylosait dans son véhicule. Il avait soif et faim. Quelle idée ridicule ! Qu'avait-il appris ? Rien. La pénombre descendait. Yu prit ses jumelles à vision nocturne. De temps en temps, Camille replaçait discrètement sa perruque qui glissait. Ils mangeaient maintenant, buvaient du vin et riaient. Pour Yu Chi Ming, dont l'estomac criait famine, c'était un calvaire. Ils finirent enfin leur repas, se levèrent et sortirent. Ils se dirigeaient vers la résidence de Lamaury. Léopold n'aurait qu'à continuer deux cents mètres et prendrait le métro pour rentrer chez lui, comme on lui avait rapporté qu'il avait fait maintes fois. Yu ne voulait pas lâcher sa proie. Il était fasciné. Il se découvrait voyeur, s'en délectait, s'en effrayait.

Les deux jeunes gens s'arrêtèrent devant la porte de l'immeuble. Camille parla à Léopold. On eût dit une question. L'homme répondit. Il avait l'air surpris. Il hocha la tête. Pendant quelques secondes, Camille regarda, étrangement, la voiture de Yu aux vitres aveugles. Ils pénétrèrent dans la maison. Yu était perplexe. Devait-il partir ? Il décida d'aller à l'appartement de l'édifice qui faisait face à celui de Camille. Le Guoanbu le louait pour surveiller Lamaury. Il se posta à la fenêtre, dans la pénombre. Il les voyait en silhouettes. Camille servit un alcool. Ils s'installèrent au salon sur un sofa. Ils se rapprochaient imperceptiblement l'un de l'autre. Yu descendit prendre ses jumelles. Il les avait oubliées dans sa voiture. Quand il reprit son guet, il n'eut pas besoin de celles-ci pour savoir ce qui se passait. Camille et Léopold faisaient l'amour.

35

Le chiffre de la mort

Le Champ-de-Mars était dans la pénombre. De lourds nuages allaient cacher la lune. Accoudé à une rambarde, Yu Chi Ming contemplait son œuvre. Il resta longtemps à rêver. Il était dans le noir maintenant. Un projecteur rotatif balayait le musée. Celui-ci s'allumait et s'éteignait, éclairé par ce phare. Le silence avait remplacé le vacarme du jour. Un maître-chien et son berger allemand passèrent devant lui. L'homme le salua. Yu fit un signe de tête. L'érection de la structure allait bon train. L'architecte n'aimait pas cette étape. Il se défendait d'être superstitieux. Il se gaussait du maître de Feng Shui, de ses délires, mais il aurait fallu ne pas être chinois pour ne pas avoir peur. Avant d'arriver à l'idéogramme final, Zhong Ghuo, l'empire du Milieu, on devait passer par des transitions. Devant lui, la semaine dernière, il avait édifié ce qui ressemblait trop au chiffre quatre, celui qui se prononce comme la mort. Maintenant se dessinait le nombre quatorze : un, quatre. On le disait comme on aurait dit : « Tu vas mourir. »

Lui, le vainqueur, lui qui avait pensé arriver en pays conquis, établir à jamais son empreinte, réaliser un chef-d'œuvre de l'architecture mondiale, être l'Eiffel des matériaux composites, marquer au fer rouge la France comme on marque une esclave, se laissait à présent envahir par le doute. Il était pris dans les mandibules de l'araignée monstrueuse qu'il avait construite. Une veuve noire, oui, assurément ! Foudroyé par l'amour. L'esclave, c'était lui, et d'une vaincue en plus !

Il réalisait maintenant ce qui l'avait amené ici. La naissance du Shanghai moderne avait été l'œuvre des Occidentaux et particulièrement des commerçants et des banquiers juifs. Ceux-ci avaient édifié la ville et leur fortune grâce à l'épidémie qu'ils avaient importée et propagée, l'opium, mille fois pire que les grippes asiatiques. Ils avaient créé cette cité et l'avaient subjuguée. Yu, celui qu'on disait juif, avait cru effacer l'affront que son sang impur avait infligé à la Chine, se racheter une conscience. Symboliquement, il avait voulu tuer sa mère, celle qui l'avait abandonné. Et c'était une femme, une étrangère, une déesse, une diablesse blanche, qui maintenant lui faisait payer ce crime horrible. Il avait commis l'innommable. Il avait souhaité assassiner celle qui lui avait donné le jour et voici qu'elle renaissait, telle la Kali décapitée. Il désirait la retrouver dans son lit. Il était bien puni. Il avait pensé être pardonné par ce père qui le haïssait, il s'était imaginé mettre définitivement au rancart sa tête de porc. Son acte rédempteur lui revenait, comme un boomerang, dans les gencives. Qu'importait sa bouche sanglante, lui qui rêvait à ces lèvres étrangères ? Ah ! l'étrangère. Il était entré dans Paris en vainqueur. Qu'en serait-il avec elle ? Elle lui faisait goûter la vie la plus intense et lui promettait la mort. Feraient-ils l'amour ou la mort ? Cette Camille le grisait de sa pudeur et de son charme. Et ce Paris qui, de loin, l'avait tant fasciné. La Ville Lumière des siècles dépassés, la mère de la liberté et de l'intelligence. Il lui avait apporté la soumission, la capitulation. Paris devrait-elle, maintenant, défiler sous les fourches caudines ? Fallait-il qu'il commette ce crime de lèse-majesté, l'irréparable, qu'il la viole ?

Au début, il s'était étourdi dans les bras de courtisanes. Des rabatteurs lui avaient amené, tous les soirs, des filles attirées par le clinquant des honneurs et les parfums du pouvoir. Ce n'était que le droit de cuissage dû au vainqueur. Il s'était amusé de ces miroitantes alouettes, de ces éphémères. Il avait vu leurs ailes griller aux soleils des artifices. Certaines avaient l'élégance et la sophistication, la patine ou le vernis que seuls pouvaient apporter la noblesse et la richesse déchues. À côté de cela, les épouses des nouveaux riches, des oligarques chinois, des parvenus, qui dévalisaient chaque jour les magasins de la place Vendôme, ressemblaient à des bouseuses endimanchées. On n'avait toujours pas mis la classe dans un tube.

Ce que ces compagnes d'un jour suçaient chez Yu Chu Ming, c'était son être même, sa substantifique moelle. Un an encore de ce stupre décadent et l'architecte n'aurait plus été que l'ombre de lui-même. Camille venait de l'arracher à ces vampires, de le sauver, de lui donner aussi le baiser de la mort. Venant à Paris, il avait pensé aller vers la vie, vers l'avenir, et il était allé vers la mort, vers le néant. Jamais Éros et Thanatos n'avaient dansé un *slow* si passionné. Que le baiser de Kali serait doux ! Dans cette mort qu'il sentait approcher, il n'avait jamais été plus vivant, plus éveillé. Il se savait condamné et marchait, joyeux, vers la vie éternelle dans ce couloir de la mort.

36

Écoulements

La Seine s'écoulait, boueuse. Le Huang Pu faisait de même, si loin, à sa façon, en grand, en maître. Il inondait la mer, elle se dissolvait dans la Manche. Ce soir-là, Yu, de sa fenêtre à l'hôtel de Lauzun, regardait le courant. Celui-ci le fuyait, c'était sûr, comme tous les Parisiens, enfin, presque tous. Il y avait les veules, les vendus, les achetés. Yu s'étonnait qu'il y en eût autant. La France avait de l'expérience en la matière. Il se la rappelait. Il l'avait lue dans les livres d'histoire. Il se souvenait d'une rafle de juifs dans un stade ou un vélodrome. Une vieille maquerelle dont le rimmel coulait ou une marquise décrépite, imbue d'elle-même, se raccrochant aux monuments délabrés de ses souvenirs embellis, voilà ce qu'était devenu ce pays dont les lustres l'avaient si longtemps fasciné. Du glorieux passé, rien de vivant ne subsistait. Comment ne le comprenaient-ils pas, pourquoi ne l'acceptaient-ils point ? Revenir en arrière ? Impossible ! Dans des rivières lointaines, seuls les saumons remontaient, pour mourir. Le regard de Yu Chi Ming se perdait dans ce liquide hypnotisant, les larmes de Paris, pensa-t-il un instant. Toute cette terre, ce limon, ce sable d'un sablier éventré, lessivés, égarés à jamais.

Il entendit la radio. Il avait sélectionné une émission de France Inter. Que ces journalistes avaient du talent ! Même en cette période de censure, ils restaient virtuoses, parlant avec l'élégance et la précision de dentellières. Voilà ce qu'étaient devenus les intellectuels, des dentellières ou des trapézistes, tournoyant, donnant le vertige, oubliant parfois les mains offertes d'un camarade qui s'écrasait avec fracas. Du beau travail, divertissant, brillant, vain.

Yu faisait une cible magnifique. De la rive droite, un tireur habile ne pouvait le manquer. Il se moquait de prendre ainsi ce risque. Il sentait en lui l'exaltation du plongeur qui rebondit sur la planche, les bras tendus, bien haut, regardant la minuscule tache bleue de la piscine, si bas. Certes, il vivait pour voir Camille. Il savait qu'elle voulait qu'ils fassent ensemble ce grand plongeon synchronisé. Pour de telles choses, l'on n'entretient aucun doute. Exposer celles-ci comme on dévoilerait les mobiles d'un crime serait indécent, annihilerait tout, dégonflerait les baudruches qu'ils se savaient être à présent. Laissez-nous l'hélium de nos délires, la délectable jouissance de nos illusions ! se prit-il à penser. Le comportement de Yu ne tenait pas du suicide, mais bien au contraire de l'affirmation de soi. Il ne se sentait jamais aussi vivant et aussi libre que lorsqu'il flirtait de la sorte, indécemment, avec la mort, comme pour la narguer. À son arrivée à l'île Saint-Louis, il avait pourtant fait déplacer son bureau, qu'on avait mis, bien en évidence, devant la fenêtre. Il avait changé. Shanghai et sa propre prudence s'étaient dissous dans des brumes de mer.

Yu Chi Ming remarqua qu'un homme fort élégant, portant kippa, entrait dans l'hôtel de Lauzun. Il pensa aux documentaires qu'il avait vus sur l'occupation allemande de la France au milieu du XXe siècle et à l'implication des milices collaboratrices dans les nettoyages ethniques. La question juive, la solution finale... Les Chinois et le gouvernement Vodor n'avaient guère été plus mesurés avec la question magrébine, qu'on avait déclaré, commodément, être celle du fondamentalisme islamique. La Chine avait eu sa propre problématique musulmane avec les Ouïghours turcophones du Xinjiang. Elle l'avait réglée, selon son habitude, à la manière forte. En France, on se montra aussi fourbe que par le siècle passé. Douze pour cent des citoyens français étaient musulmans. Ce qui représentait plus de huit millions de personnes pour une population totale de soixante-huit millions d'habitants. L'état d'urgence avait suspendu l'habeas corpus. On émit des lois discriminatoires. On arrêtait des Français d'origine magrébine, avec toutes leurs familles, pour les motifs les plus futiles et les plus extravagants. Des gens commencèrent à disparaître par dizaines de milliers. On chuchotait qu'hommes, femmes et enfants étaient jetés en plein milieu de la Méditerranée du haut d'avions de transport de troupes. On mentionnait aux journalistes qu'il valait mieux ne pas trop enquêter sur le sujet. « Secret défense ! » était la réponse qu'on donnait aux imprudents avant qu'eux-mêmes ne se volatilisent. Les partis politiques ayant été dissous, nulle opposition ne pouvait ouvertement s'inquiéter de l'affaire. Il était évident que la chose ne faisait pas que des mécontents, surtout chez les sympathisants de l'ancien parti des Bons Aryens français, mais aussi, derrière des sourires entendus, parmi les personnes de toutes allégeances.

La France semblait s'être éteinte sous l'occupation. Elle partait en délitescence. Les citoyens étaient en état de choc. Ils se mouvaient dans les rues comme des somnambules, des amnésiques, des zombis. Yu se souvint de films documentaires montrant des habitants de San Francisco marchant, hagards, dans les ruines fumantes de leur ville après le séisme de 1906. Seule l'intouchable Roxanne Mathoss et ses résistants semblaient relever la tête. Elle ensanglantait la capitale par ses coups de guérilla urbaine.

Camille manquait à Yu. Où était-elle ce soir ?

Camille Lamaury avait flâné sur les berges de la Seine. Elle s'était retrouvée près du pont de l'Alma. Assise sur un banc, elle regardait le fleuve. Quelle idiote elle avait été, une fois de plus. Elle s'était étourdie avec Léopold. Elle découvrait l'emprise qu'elle avait sur les hommes. Elle commençait à jouer de son charme et découvrait les jeux de la séduction. Il était temps ! Elle n'aurait pas dû le faire avec Francœur, surtout pas lui, c'était mal, il l'aimait, elle ne l'aimait pas. Elle avait joué avec les sentiments du jeune homme. Elle avait honte. Elle ne pouvait le respecter, car c'était un collabo. Elle tiendrait en estime un mec comme La Belette. Elle l'avait dit à Léopold. Il ne l'avait pas prise au sérieux. Elle l'avait surtout fait pour faire mal à Yu. Elle avait joui de le sentir à sa merci, lui son patron, de le faire souffrir, lui le conquérant qui tenait Paris sous sa botte, lui qu'elle aimait. Comment pouvait-elle être si immonde ? Elle s'en étonnait. Il avait été si bon d'inverser les rôles. Elle se découvrait une perversité qui n'était pas sans lui déplaire. Elle avait, tenant dans sa main Léopold, tenu sous son influence Yu Chi Ming qui était aussi fuyant qu'une anguille.

La Seine dépliait ses longs cheveux de mousse savonneuse et s'en allait vers Le Havre comme la belle Ophélie.

37

La toison

Dehors, le vent souleva sa robe. Camille la tint baissée et rétablit sa perruque. Lamaury et Ming avaient fini d'inspecter le chantier. Le Champ-de-Mars se remplissait. Tout avançait selon les plans. L'immense édifice jetait partout son ombre. La nuit précédente, les ouvriers s'étaient affairés. Ils quittaient maintenant leur quart de travail, les yeux cernés. L'architecte et son employée se dirigeaient vers la tour Eiffel. Ils prendraient le métro, chacun de son côté.

— Je vous ai vue rentrer chez vous il y a trois jours, lança Yu Chi Ming.

— Je le sais.

Elle lui prit la main. Il la rejeta brusquement.

— Je vous ai fait mal ?

— Oui.

— Moi aussi, je me suis fait mal.

— Vous avez fait exprès ?

— Oui.

— Pourquoi ?

— Je ne sais pas.

La panique l'envahit. Elle eut envie de crier. Elle jeta sa perruque sur le trottoir et partit à la course. Yu ramassa le postiche. Il voulut la poursuivre. Il se tint immobile, la toison à la main. Lamaury haletait. Ses chaussures lui faisaient mal. Les larmes brouillaient ses yeux. Des passants se retournèrent, désignèrent son crâne luisant dans le soleil. Un gamin lui lança une pierre. Camille saignait. Entre ses lèvres fendues, les pleurs et le sang se mêlèrent.

38

Masques, loups et dominos

Ping avait quitté le pont des Arts. Son corps se souvenait de l'onctueux rebond des planches dans ses chevilles. Il marchait maintenant quai Malaquais et les dalles lui renvoyaient ses pas dans les reins comme des coups de fouet. Il s'arrêta et regarda la Seine. Tout passait, tout s'écoulait, tout se perdait. Le fleuve, depuis des siècles, se jetait dans la mer. Et lui, que rejoignait-il ? Il pensa à Tosca qui tombait. Bien sûr, il y avait eu de Castelviel, aujourd'hui les Lamaury. Il s'était pris d'affection pour cette famille, la mère et aussi la fille, cette idiote de Camille qui s'exhibait rasée. Il connaissait le salaud cagoulé qui l'avait arrangée. Il lui ferait la peau, un jour.

Il se souvint de ses anciennes amours. Il y avait si longtemps, ici même, à Paris. Il ne l'avait jamais revue, elle, celle qui avait été mère. Il connaissait la fille, sa fille. Enfin, pouvait-il dire connaître ? Il savait qui elle était. Elle était assez célèbre pour cela. Elle ne savait rien. Elle le haïssait. Il aurait tant aimé avoir une petite enfant. Ils se seraient promenés. Elle aurait mis sa menotte dans sa main. Menotte ? Son propre sang le rejetait. Il n'aurait jamais dû revenir. Peut-être aurait-il oublié ? Sans doute était-il masochiste. Lui, l'occupant, ne pourrait jamais faire du mal à sa propre fille ou… le pourrait-il ? Serait-ce un moyen de l'atteindre, de communiquer ? S'il pouvait au moins la supprimer de sa mémoire. Ah ! tout oublier.

Repartir avec Alexandre sur les chemins de Bactriane. Et maintenant, cette idylle entre Yu et Camille. Cette écervelée qui avait fait l'amour avec Léopold. Ping eut soudain envie de le revoir, celui-là. Ce salaud avait possédé Camille. Et elle... Oui, c'était sûr, elle avait fait toutes ces choses qu'il imaginait et bien d'autres assurément. Il se pencha sur la rambarde du quai. Comme la Seine, il aurait voulu s'en aller. Pourquoi les amoureux pouvaient-ils encore s'aimer ? N'étaient-ils pas venus, eux, les Chinois, pour tout arrêter ? Rien ne s'était arrêté. L'échec le plus complet. Et ce musée, ridicule, comme un cafard sur Mars. Même Yu, c'était sûr, en avait honte.

Rue des Saints-Pères, Ping sortit son portable. Il appela Léopold. Un tour en pousse-pousse, c'est ce qu'il lui fallait. Il ne l'amènerait nulle part. Il n'avait nulle part où aller. Le petit pédé ! Il le fatiguerait, l'épuiserait et le paierait. Et puis, ils s'en iraient. Et rien n'aurait changé. Rien.

Léopold s'en vint, trottinant, tirant sa carriole. Il s'arrêta, prêt à embarquer son passager. Il savait que le jour était arrivé, le jour où les masques tombaient, où les loups montraient leur visage, où les dominos s'effondraient les uns sur les autres, où les jeux étaient faits, où les règles s'abattaient comme des châteaux de cartes, où la lune était pleine et voulait accoucher, où le sang, trop longtemps contenu, voulait enfin gicler. Ping aussi le savait.

Francœur fixa le professeur dans les yeux, longuement, comme jamais il ne l'avait fait, et dit, lentement, détachant chaque syllabe comme la sentence d'un juge :

— Bonsoir, Mister Fang !

— Bonsoir, Belette !

— On va où ?

— Vous le savez.

— Alors, allons-y.

39

Toucher

Et la peau qui glissait sur la peau de l'aimée. La pulpe des doigts qui caressait son visage. Ce corps qu'on voulait lire comme un aveugle le braille. Et les yeux par lesquels on entrait. Trois fois par semaine, ils se retrouvaient le soir, après le travail. Ils se promenaient main dans la main. Ils prenaient un pot ou bien allaient souper. Ils se rapprochaient, chuchotaient pendant des heures. Immobiles, ils se sentaient en mouvement. Marchant, ils se croyaient arrêtés. L'univers, au ralenti, semblait indifférent. Ils étaient le centre de leur monde, doués d'une telle force, d'une telle densité ! La membrane diaphane de leur bulle était impénétrable. Camille sortait le crâne nu. Quand ses cheveux poussaient, elle les rasait. Cela lui allait bien. Le nombre de femmes tondues augmentait chaque jour. Le président Vodor soutenait une styliste qui promouvait le port des têtes glabres. Des scalpées envahirent les cafés. Des équipes veillaient à leur sécurité. Ce projet ruineux fut vite abandonné. Seule Camille maintenant se risquait. Yu savait qu'on les protégeait. Camille prenait trop de risques. Dans ce restaurant, autour d'eux, tous ces clients, des barbouzes, c'était sûr. Difficile à croire ! Yu demanda qu'on mette fin à leur protection.

— Ah ! vivre dangereusement, c'est beau, n'est-ce pas ? avait dit Ping.

Yu n'avait pas su s'il était sérieux ou s'il se moquait. Rien ne changea. Yu Chi Ming pensa qu'autour d'eux jamais la présence du Guoanbu ne s'était relâchée. Quelquefois, Camille faisait monter Yu chez elle. Son logement était truffé de caméras et de micros. La première tâche était de se débarrasser de tous ces yeux et de toutes ces oreilles indiscrètes. Yu était un vrai champion dans ce domaine. Le Guoanbu réinstallait aussitôt d'autres équipements. C'était toujours à recommencer. Ils en firent un jeu. Sitôt arrivés à l'appartement, Camille tirait les rideaux. Ping ne savait s'ils étaient amoureux ou amants. Il pensait: « Sans doute ne font-ils rien. Plus stupide que ça, tu meurs ! » On ne les vit jamais s'embrasser. Camille jouissait de la douleur d'aimer. Yu ne pourrait plus cautériser son cœur. Il se savait damné par des lèvres pareilles.

40

Voie sans issue

Elle avait emprunté tant de fois cette route. Galerie Vivienne, si souvent elle y était passée. « Voie sans issue » est ce qu'Émilie lisait sur le panneau. Des ouvriers déroulaient du fil de fer barbelé ; des miliciens, fusil sur l'épaule et cigarette au bec, les regardaient. Des passants s'agglutinaient.

— Circulez ! Il n'y a rien à voir, lança un officier.

Elle rebroussa chemin. Le monde se refermait. Hervé, son mari, Petit Pierre, Adélaïde et maintenant Camille. On l'avait rasée. La perte et la peur. Pourquoi n'arrivait-elle plus à pleurer ? Insensible ? Anesthésiée ? Elle devait tenir pour Camille. Pourquoi la fille aurait-elle encore besoin de la mère ? Sa fille était grande à présent. Et si c'était l'inverse ? Camille se débrouillait très bien, trop bien. Une belle carrière assurément ! Comment aurait-elle pu refuser ce poste prestigieux ? Elle aurait pu. Elle ne l'avait pas fait. Pour payer les frais médicaux de son frère ? Émilie l'avait toujours su. Elle lui avait posé la question. Camille avait répondu à côté. Pourquoi les gens répondaient-ils toujours à côté ? Émilie n'était pas mieux que les autres sur ce point. Jouer les moralistes, voilà ce qui lui restait. Pas le meilleur des rôles ! Et si elle n'avait plus besoin de prendre soin de personne ? Autant mourir. Douce et amère pensée. Peut-on partir comme cela ? S'arrêter de respirer ? Trop facile ! Elle trouverait une manière élégante ; pas de coup de feu, pas de sang sur les murs, pas de gaz. Elle n'avait jamais aimé l'odeur du gaz. Des barbituriques, plein de barbituriques. Cela ferait l'affaire. Pas maintenant. Pour Camille, bien sûr. Les autres étaient partis. Ils avaient pris la poudre d'escampette. Ils l'avaient laissée seule à souffrir le martyre. Le bateau coulait. La noyade, elle n'aimait pas cela non plus. En fait, elle n'aimait plus grand-chose. Un malfrat l'assommerait et ce serait fini. Ce ne serait pas sa faute. Elle n'aurait rien fait pour. Il était de son devoir de... N'importe quoi ! Elle marcherait toute la soirée, toute la nuit. Pour ne pas rentrer, pour ne pas fermer la porte sur un avenir bouché, pour penser qu'il y avait encore du mouvement, de l'espace où aller.

Dans son porte-monnaie, que des photos. Elle s'arrêta, les sortit, les regarda. Hervé, comme il lui manquait ! Sa vie s'était flétrie quand il était parti, défenestrée. Adélaïde ! Elle avait bien vécu, trop fricoté avec l'occupant. Son esthétisme folklorique et décadent l'avait perdue. Comment Camille ne pouvait-elle voir en Léopold un amoureux transi ? Sans doute l'avait-elle vu. La mère et la fille ne s'en étaient jamais parlé. Il fallait s'en tenir aux banalités, ne jamais aborder les sujets qui fâchaient. On aurait alors abordé un rivage inconnu, terrifiant, comme ceux que l'on trouvait indiqués sur les cartes anciennes : *Hic sunt dracones.* Nous ne sommes pas tous nés Michel Archange...

Pourquoi, de tous les hommes qui lui faisaient la cour, avait-elle choisi ce Yu Chi Ming ? Beau mec, certes, raffiné, poli, cultivé, elle en convenait, mais un Chinois, tout de même. Ce n'était vraiment pas le moment de s'éprendre des Jaunes. Nous, les Blancs, il fallait rester séparés. Si au moins cela n'avait été qu'une passade, une épisodique partie de jambes en l'air... Non, cela avait l'air d'être quelque chose de plus effroyable, de l'amour en somme, une malédiction pour tout dire.

Et son fils, pourquoi y pensait-elle en dernier ? Trop dur. Elle fleurissait tous les jours sa tombe. Elle l'avait laissé mourir, non-assistance à une personne en danger, sa propre chair. Elle avait tergiversé avant de répondre à Yu. Une mauvaise mère ! Si elle ne s'était pas encombrée de problèmes de conscience ! Ceux-là, il fallait les laisser aux riches. Elle n'avait pas les moyens. Trop tard, toujours en retard, la mort n'avait pas attendu, trop pressée. Elle avait pensé déménager près du cimetière. Elle aurait été plus près de lui. Elle n'entendrait plus ses éclats de rire lumineux, ne se fondrait plus dans ses yeux bleu turquoise. Qu'étaient-ils devenus ? Oh ! non. Pierre n'avait pas demandé à vivre. Elle l'avait torturé, puis abandonné. Un monstre, voilà ce qu'elle était ! À la fin, il semblait ne trouver d'humanité qu'auprès d'un ami, du seul qui ne l'ait pas laissé tomber, un robot, un amoncellement de cartes à puce, de diodes et de titane. S'il avait eu quelque patrimoine, il le lui aurait laissé. Il lui avait légué, pour seul héritage, une histoire d'un autre âge et d'un autre espace. Et cet objet, cet androïde, regrettait-il son camarade de chair ? Plus qu'eux tous ! Ne l'avait-elle pas observé, bien des fois, alors qu'Alfred se pensait seul ? Elle avait entrebâillé la porte et l'avait vu, perché sur une caisse, dans la salle de bain, s'humecter les yeux et se regarder dans le miroir. Il était si gentil. Il lui faisait peur cependant lorsqu'il se mettait en veille, un sourire sur les lèvres avec un œil fermé et l'autre grand ouvert. Elle aurait pu le faire réparer. Il y aurait eu tout à faire réparer. À quoi bon ? Une perte totale.

Elle rangea les photos et reprit sa marche. Les avenues se transformaient en impasses. La vie lui offrirait-elle une voie de sortie ? Elle l'implora. Elle ne savait à qui adresser ses prières. Le monde ne pouvait pas, soudain, être devenu si sourd !

41

Crevaison

Des clous sous les pneus, du classique. Il ne leur en voulait pas. Il comprenait. Il aurait fait pareil si... si quoi ? Il était fatigué. Son esprit s'embrouillait. Francœur, au fond d'un garage rempli de pousse-pousse, réparait une crevaison. Tous ces véhicules chéris et abhorrés ! Il se pensait unique. Vanité ! Et si tous les chauffeurs de ces centaines de pousse-pousse étaient comme lui, des espions infiltrés ? Cette pensée le fit pleurer de rire. Pouvait-il s'accorder le luxe de devenir fou ? Impossible ! Roxanne et la résistance dépendaient trop de lui. Il ne savait plus qui il était. Agent double, c'est cela qu'on disait. Ce soir, il aurait préféré être un double whisky. Dans la pénombre, sa lampe peignait sur les murs des ombres fantastiques, Lascaux d'un autre âge pour d'autres sacrifices. Il ne savait plus qui il était, Léopold ou La Belette. S'il devait en flinguer un, lequel ce serait ? Il truciderait le mauvais, c'était sûr. Il n'avait jamais eu de chance. Il n'était qu'un joueur de triangle, de triangle amoureux, un commerce triangulaire qui lui semblait aussi inconnu et redoutable qu'une expédition maritime aux Bermudes. Il ne savait s'il était l'image ou le sujet. Il ne sortirait de ce miroir, de cette inversion, qu'horizontalement, les pieds devant. En fait, il n'était qu'un pauvre schizophrène, un aliéné impatient, un interné en liberté surveillée, en rupture de ban, un chapelier fou cherchant la sortie d'un labyrinthe de glaces au tain d'argent piqué.

Il transpirait. Il passa la main sur son front, laissant sur la peau une tache de cambouis. Sa réparation achevée, il s'adossa à un mur. Il pensait à tous ceux qui comptaient pour lui. Ses ennemis importaient plus que ses amis. C'étaient eux qui l'aiguillonnaient, qui le faisaient progresser. En fait, c'étaient ses meilleurs alliés. Ses proches l'immergeaient dans cette casserole d'eau tiède, imperceptiblement portée à ébullition et dans laquelle, telle la grenouille de la célèbre métaphore, il crevait à petit feu. Il était las de tous ces paradoxes. Pourquoi tout devait-il être lui-même et son contraire? Malheureux, désaxé, il aspirait à la simplicité.

Camille, son adorée... Certes, ils avaient fait l'amour. Léopold avait eu l'impression qu'elle avait plutôt fait la guerre. Ce fut toute une surprise lorsqu'elle lui demanda s'il voulait monter. Ce regard qu'alors les femmes ont, même un imbécile n'aurait pu s'y méprendre! Il avait été très surpris, mais il était monté. On aurait pu croire que quelque chose commençait; au contraire, il avait, hélas, la preuve qu'elle n'avait aucun sentiment pour lui et n'en n'aurait jamais. Il ne pourrait plus nourrir l'espoir d'en être aimé, comme on donne des miettes à un oisillon affamé. C'était fini. Il se sentait blessé, abandonné sur le bord du trottoir parmi les quolibets.

Les jambes ouvertes, elle était demeurée inatteignable. Elle s'était dérobée. En se donnant à lui, elle s'était refusée. Elle avait eu la tête ailleurs. Sans doute avait-elle pensé à son Chinois. Une baise correcte. Il donnait à Camille la note de passage. Il espérait qu'il la méritait également. Allongé sur le lit, parmi les traces de sperme, jamais il ne s'était senti si impuissant. Après l'orgasme, détendue mais pas particulièrement radieuse, elle avait évité son regard, comme si elle avait eu honte d'elle, pas à cause de lui mais à cause de l'autre. L'autre, il le tuerait, et le plus tôt possible. Alors que Camille... Oui, il savait ce qu'elle ferait. Il se retourna vers le mur et le frappa de ses poings. Il tapait sa tête sur le ciment en pleurant, en criant. Du sang se mêlait maintenant au cambouis.

Il l'avait rasée. Comment avait-il pu faire une chose pareille, lui qui disait l'aimer ? Le dépit, la rage sans doute, l'impuissance surtout. Il avait voulu l'humilier à défaut de pouvoir la posséder. Il avait espéré lui enlever tout attrait auprès des autres hommes, lui refuser les délices tortueux de la séduction, pratiquer une sorte d'excision capillaire, en faire un laideron. Échec sur toute la ligne ! Elle en était sortie plus belle que jamais. Ah ! ce fut sa revanche. Lui n'était que mensonge et dissimulation, se déguisait, se maquillait, portait des masques, des perruques. Elle, il l'avait mise à nue, rendue vraie, naturelle et effrayante comme la vérité.

Camille, elle le lui avait avoué, se serait donnée à La Belette. La tête dans les mains, il passait en revue ce que cela aurait pu être. Une passion torride, des baises volcaniques, des chevauchées fantastiques, s'il n'avait pas bandé mou de se voir démasqué... Pauvre attardé ! Un résistant d'une cellule dormante au sommeil agité, voilà ce qu'il était, un jeune gâteux affublé d'une libido de vicieux, de voyeur. Rien ne l'excitait plus que de voir sans être vu. Quelle jouissance ! Il se savait malade, mais ne pouvait consulter. Il regarda sa montre. Il lui restait du temps.

Et Émilie maintenant ! Il avait pensé une seconde lui conseiller d'accepter l'offre de Yu. Pierre aurait été sauvé. Il n'avait soufflé mot. Le paradis de la résistance était pavé de mauvaises intentions. Cette femme était condamnée à mourir de chagrin sous le poids des remords. Petit Pierre n'avait été que la victime destinée au sacrifice : « Agneau de Dieu, qui enlève le péché du monde, prends pitié de nous ! »

Quant à Adélaïde, il aurait aimé l'avoir tuée de ses propres mains. Il en avait rêvé. Mais non ! Il prenait le thé chez les Lamaury, parlait de la météo et du prix des denrées. Comment ce laitier débile avait-il osé lui retirer sa victime ? Lui aussi, il y passerait. Léopold allait procéder à un grand nettoyage. Il se voyait l'archange d'une terreur salvatrice.

Fang, il le haïssait. Il lui était trop semblable, un dissimulateur, une ordure, implacable, sans cœur. Il le tuerait. Il les crèverait tous.

Ses pensées le ramenèrent chez les Lamaury. À propos de cette famille, on ne pouvait penser aux vivants sans penser aux morts. Il en avait appris une bonne sur Hervé. Mathoss avait mis la main sur des comptes rendus du Guoanbu. En fait, le mari d'Émilie n'avait pas été défenestré. Il s'était suicidé.

Et puis, il y avait Alfred, ce robot mythomane qui pensait faire partie de la famille !

Léopold savait qu'il n'y avait qu'un lieu où il pourrait avoir la paix. Pensait-il vraiment trouver une solution, une réparation possible, pour ses maux et pour ceux qui affligeaient son monde ? Pour ceux-là, pas de rustine, pas assez d'adhérence, la surface était trop mince ; dessous, rien que de l'air qui fuyait.

42

Le contrat

Léopold avait changé plusieurs fois de taxi, pris des métros, des autobus et finalement le RER. Il avait semé les sbires du Guoanbu. Son portable retentit. Roxanne, dans un message codé, lui donnait rendez-vous. Il débarqua. Il se tenait au milieu d'un terrain vague, près d'une rue poussiéreuse de banlieue. La voie était libre. Il lui téléphona. Deux coups de sonnerie. Le signal. Il entendit une voiture. Il savait que c'était elle. La grande limousine noire s'immobilisa. Sur le bouchon du radiateur, l'esprit de l'extase. Discret, pensa Léopold. Le chauffeur, sa casquette à la main, descendit, contourna le véhicule et ouvrit la portière arrière, une porte-suicide. Sortant en décroisant les jambes, Roxanne prit soin de laisser entrevoir son porte-jarretelles. Elle baissa sa voilette. Ils se firent la bise et commencèrent à marcher.

— Fang est devenu fou. Il file lui-même Camille. Il ne la quitte pas. Là où elle va, il va, le jour, la nuit, dit la jeune femme.

— Ce n'est pas Fang qui la file, mais Ping.

— Très drôle ! Et toi, question filature, tu es toujours sur les semelles de Yu ?

— Toujours !

— Louis, le gardien du musée, a été pris.

— Ah ! Les salauds ! Roxanne, tu veux vraiment que je m'occupe de Fang ?

— Oui. Tu ne désires pas seulement t'en prendre à lui, si je ne m'abuse ?

— C'est exact, fit-il avec un sourire entendu.

— Tu sais que cela lui brisera le cœur ?

— Je le sais... En ce qui te concerne, si Ping n'est plus là, tu perds ton protecteur, t'es foutue.

— Toi aussi.

— Moi aussi.

— Il faut le faire. Je ne peux plus attendre.

— Moi non plus.

Ils s'arrêtèrent. Francœur, le poids sur une jambe, gratta le sol de la pointe de son soulier.

— Tu veux savoir comment c'est... à la fin ? dit-il.

— Oui.

— On est si pressés ?

Roxanne souleva sa voilette et regarda Léopold dans les yeux.

— Oui.

— D'accord, je le ferai, ce soir.

— Le temps ne s'y prête pas.

— Le temps ?

— Avec l'orage qui approche...

— Ce soir, je te dis.

— Comme tu voudras.

43

CORDES, FUSEAUX ET EXPLOSIFS

Roxanne regarda son travail, rouge comme du sang. Comme elle aimait faire de la dentelle! Les fuseaux se remirent à cliqueter, la corde, les fils, les cordonnets virevoltaient. Elle devait se concentrer. Elle consulta la pendule, rangea son ouvrage et caressa son boa de plumes noires. Pendant une heure au moins, elle n'avait pas pensé au terrible contrat qu'elle et La Belette avaient signé. Et si cela foirait? Si Léopold était tué, blessé? Qu'elle était bête! Cela ne pouvait que mal tourner, même si tout se passait comme prévu. Une fois Fang mort, elle perdait son protecteur; elle n'était qu'une morte en sursis. Le décès du grand inquisiteur ne changerait rien pour les résistants de la base. Ils en bavaient déjà suffisamment. D'ailleurs, le fait que Mathoss ne fût jamais inquiète avait mis la puce à l'oreille des dirigeants de l'armée de l'ombre. Cette impunité était tout de même passablement étrange. Certains, surtout ceux et celles qui briguaient son poste, propagèrent la rumeur qu'elle était un agent double. Ces fauteurs de trouble décédèrent dans de malencontreux accidents de voiture.

Et dire que Roxanne avait pensé, dans un de ses célèbres accès de fureur, trucider toute la famille Lamaury, ces infâmes collabos! Mal lui en aurait pris: cet appartement et ses occupants constituaient une couverture idéale pour La Belette.

Paul, le chauffeur du camion de lait qui avait renversé Adélaïde, fut kidnappé par les résistants. C'était un agent du Guoanbu. Roxanne assista à son interrogatoire. On n'eut pas besoin de le chatouiller beaucoup. Il dit qu'il avait rendez-vous avec la vieille dame et que la mort d'Adélaïde était un accident. Un mensonge probablement, mais comment en être sûr? Dans l'odeur des chairs brûlées, il avoua le but de sa visite: il allait révéler à la grand-mère l'identité du père de Roxanne. Une autre salade certainement. Adélaïde ne savait sans doute pas que Paul était un espion. Le salopard ne put proférer le nom tant attendu. Il parvint à mordre dans une capsule de cyanure qu'il avait gardée dans sa joue. Les incapables! Elle leur avait pourtant adjoint d'inspecter tous les orifices des prisonniers. Elle en avait botté, des culs, ce soir-là! C'est ainsi que Yoplacta dut se chercher un nouveau livreur. Elle n'en avait pas parlé avec Léopold. On ne devient pas chef, on ne le reste pas, en disant tout, à tout le monde, tout le temps, surtout pas à son bras droit, de peur de se prendre une raclée.

La mère de Roxanne, Paula, lui avait toujours dit que son père était un Chinois, propriétaire d'un *pressing* dont elle voulait taire le nom. Cela devint une légende urbaine. Mathoss pensa, un moment, soumettre Paula à la question. Cela aurait été quelque peu exagéré. Minh Anh Tang, le gérant de la blanchisserie près de son domicile, était particulièrement gentil avec elle. C'est vrai qu'elle lui ressemblait vaguement. Il y avait certainement deux cents millions de Chinois qui auraient pu être rangés dans cette catégorie.

Pourquoi se battait-elle? Pour se faire peur, sans doute. Un soir où elle était complètement bourrée, elle pensa remplacer la résistance par le saut à l'élastique.

Elle et ses compagnes avaient tellement ri qu'elles s'en étaient pissé dessus. La possibilité de gagner était nulle. Le mieux qu'on pouvait espérer était d'occuper le terrain, de s'affairer comme la mouche du coche. Comment gagner contre un milliard quatre cents millions de Chinois industrieux et flexibles? Aucun espoir d'entendre, dans les plaines de Beauce, retentir soudain le clairon de la cavalerie. Le gouvernement avait intérêt à ne pas écraser la résistance; cela justifiait la répression. Roxanne et ses partisans n'étaient que des jouets avec lesquels s'amusaient Fang et Vodor. Quel était le sens de sa vie? Son art, assurément! Le summum de la futilité et de l'insignifiance! Elle connaissait la seule issue. Il fallait donc la hâter. Pouvoir tout oublier, aspirer au vide, au néant, charger, sabre au clair, comme la Brigade légère. Du panache, du style, seules douces rédemptions! Sortant enfin de ses pensées, elle desserra le boa qui l'étranglait.

44

Valse avec Yu

Camille se demandait pourquoi elle avait couché avec un collabo, pourquoi elle avait brisé le cœur de Ming, pourquoi elle ne s'abandonnait pas à l'impossible. Plantée devant les chasseurs de Derain, dans la salle du cerf de l'hôtel Mongelas, elle baignait dans une chaleureuse atmosphère de lambris et de tapisseries. Elle attendait Yu. Au loin, le tonnerre grondait. Le cerf la regardait. Il fut un temps où celui-ci avait frotté ses effluves musqués sur les écorces des ormes, où il avait laissé tomber, sur les feuilles d'automne, ses fumées chaudes semblables à des glands. Maintenant, empaillé, il ne sentait plus rien. Il ramassait la poussière. Elle eut envie d'apprendre les odeurs de Yu, de goûter ses sécrétions. Les rabatteurs, dans leur cadre, l'observaient, les yeux pensifs, leurs bâtons à la main. Sans doute méritait-elle une bonne bastonnade. Ils la regardaient tous. Elle était traquée. Plus jamais elle ne pourrait s'échapper. Elle devait se rendre, se donner. Le parquet grinça. Elle se retourna. Yu se tenait devant elle.

— Bonsoir, Camille !

— Bonsoir, Yu !

— Désolé du retard.

— Il n'y a pas de mal. J'admirais ce tableau.

Ils s'approchèrent de la fenêtre ouverte, se penchèrent vers la cour. Ming avait gravi les marches quatre à quatre. Camille perçut son souffle haletant, flaira sa transpiration. Le dragon traversait l'espace de sa démarche bringuebalante.

— Ce monstre me fait peur ! chuchota Camille.

— Ne vous inquiétez pas, il ne peut vous atteindre.

— Un si beau jardin pour un dragon !

— J'aurais préféré une licorne...

Camille sourit. Elle regardait à présent le cerf naturalisé.

— On avait dit qu'on irait faire voler un autre dragon, le vôtre, le cerf-volant.

— On peut changer d'idée, et puis l'orage se lève ; n'entendez-vous pas ?

Sur les murs, des éclairs projetaient leurs éclats stroboscopiques, des chiens hurlaient et leurs cris s'éteignaient soudain. Le son mettait du temps à poindre. Le vent d'ouest chassait la tempête vers le bois de Vincennes. Dans trente minutes, ce serait le délire.

— On pourrait... essaya Yu.

Camille regarda ses escarpins de crocodile carmin. Aller dans la forêt ainsi n'était guère pratique. Elle les changerait. Elle avait des baskets dans son sac.

— Vous ne voudrez jamais ! soupira l'architecte.

Pas de réponse.

— Camille ?

— Excusez-moi. J'étais ailleurs... Si, si, allons-y !

— D'accord... Mais ce n'est pas ça que je voulais dire.

Un éclair illumina la pièce, embrasant un portrait de Benjamin Franklin récemment installé.

— Vous voulez vraiment y aller ? Ce n'est pas forcément une bonne idée, lança Yu Chi Ming.

Ils se regardèrent longtemps. Les éclairs se reflétaient dans leurs pupilles. L'orage approchait.

— Allons-y ! dit Camille. Au moins, nous ferons cela ensemble. C'est le plus important, non ?

Yu ne répondit pas.

Dans un mirage, ils descendirent l'escalier de marbre. Dans leurs tableaux dorés, les chiens les observaient. Un veneur du XVIIIe les regardait passer, polissant nonchalamment le canon de son fusil immense. On fit venir la voiture de Yu. Ils y montèrent. On actionna les vérins. La porte cochère s'entrouvrit et les laissa passer. Dans le jardin, le dragon languissamment mâchait. Il pleuvait. Le véhicule glissait dans les rues de Paris. À travers les traces humides des essuie-glaces, Camille voyait leurs vies appareiller. Aux abords de Vincennes, ils s'arrêtèrent, stationnèrent. Yu sortit du coffre son dragon noir et un filin de cuivre. Ils ne dirent rien.

Détrempés, les cheveux dégoulinants, les souliers s'extirpant, spongieux, d'herbes mousseuses, à travers l'éblouissement des éclairs, les éclats de tonnerre, ils atteignirent enfin une clairière. Le rimmel, sous les yeux de Camille, traçait des larmes obsidiennes. Un miséreux, au milieu de nulle part, tournait la manivelle d'un orgue de Barbarie monté sur une brouette. Une ritournelle, valse poisseuse, imbibait l'atmosphère. Yu jeta quelques pièces dans une soucoupe. L'homme redoubla d'efforts. La danse s'affola un instant puis atteignit un rythme de croisière. Yu Chi Ming assembla son cerf-volant, fixant au dragon noir le long câble cuivré. À travers la cavalcade des nuages, la pleine lune diffusait une blancheur de mort. Le mendiant avait empoigné sa brouette. Il partait. Le dragon survolait la scène, ruant parfois dans les rafales. Il s'établit enfin et se tint, vent debout, claquant et vrombissant. Soudain, on se crut en plein jour. Une fulgurance avait illuminé la terre. Le tonnerre claqua. La foudre s'abattit sur un chêne non loin. Il brûlait et éclairait la nuit d'une lumière immense. Yu se ceintura de son fil métallique. Ses hanches seules retenaient le dragon. Il s'inclina devant la jeune femme. Le miséreux s'était remis à jouer. On entendait la valse, au loin, dans un mirage.

— M'accorderez-vous cette danse ?

Lamaury offrit sa main et sa taille. Ils tournoyaient, seuls, dans la vaste plaine. Jamais Yu n'aurait cru si douces les lèvres de Camille.

45

Le répondeur

Enfin chez elle ! Émilie, suivie du professeur Ping, trempée mais fort heureuse de regagner son appartement, rangea les parapluies et suspendit imperméables et chapeaux. Elle se jeta dans son fauteuil préféré et fit un signe à Alfred. Ping s'assit confortablement sur le sofa.

— Professeur, vous avez encore une fois envoûté votre auditoire. L'allocution que vous venez de prononcer au Collège de France marquera cette illustre institution.

— Vous êtes bien indulgente, Émilie ! Quand on est passionné...

— ...on est passionnant.

— Vous êtes trop bonne !

Le robot avait apporté, sur des plateaux d'argent à trois niveaux, les petits sandwichs au concombre, les pâtisseries et les scones tièdes. Il était revenu avec la crème fraîche et la confiture de fraises. Il versait maintenant le thé dans le service des grands jours.

— Merci ! Pas de sucre pour moi, lança Ping.

— Madame, n'oubliez pas vos pilules.

— Mais non ! Merci, Alfred. Je vais les prendre. C'est vrai, c'est important.

Se retournant vers Ping :

— Alfred est d'une prévenance...

Émilie avisa le téléphone, dont le répondeur clignotait.

— Professeur, me permettriez-vous d'écouter mes messages ? J'attends des nouvelles de ma fille.

— Mais faites donc. Voulez-vous que je m'éloigne ?

— Mais non ! Vous faites partie de la famille maintenant.

Émilie se dirigea vers l'appareil et actionna un bouton. La coiffeuse confirmait un rendez-vous. Le psychologue changeait une rencontre. Le garagiste avait reçu la pièce qui lui manquait. Émilie rougit.

— Il faut assurer l'intendance. J'ai bientôt fini, il ne me reste qu'un message à entendre, dit-elle, embarrassée.

— Ne vous gênez pas pour moi !

Elle prit la dernière communication et reposa le combiné. Ses jambes lui firent défaut. Elle porta la main à son front et parut s'évanouir. Ping la fit s'asseoir.

— Que se passe-t-il, Émilie ?

Lamaury, prostrée, sanglotait et se couvrait le visage.

— Ce n'est pas possible ! Ce n'est pas possible !

— Que se passe-t-il ?

— C'est ma fille ! C'est Camille !

— Que lui est-il arrivé ?

— Elle va, ce soir, au bois de Vincennes faire voler un cerf-volant avec Yu ! dit-elle au bord de l'hystérie.

— Il n'y a là rien de dramatique. Ce n'est pas le temps idéal, j'en conviens, mais pourquoi pas ? Ils ont sans doute besoin de se changer les idées. Calmez-vous ! Ce n'est rien de grave. Ils sont jeunes. Ils en seront quittes pour un bon rhume. C'est tout !

Émilie allait et venait dans le salon; elle fit tomber Alfred qui la poursuivait, une boîte de médicaments à la main.

— Vous ne comprenez pas ! Oh non, professeur ! Vous ne pouvez pas comprendre ! Pas comme Guillaume et Yut Mei ! Pas comme eux !

— Mais de qui parlez-vous ?

Émilie courut dans le vestibule, attrapa son imperméable encore trempé, ouvrit la porte de l'appartement à la volée.

— Mes clés ! Où sont mes clés ?

— Près du vase de fleurs, madame! lança Alfred.

— Émilie ! Où allez-vous ? cria Jou Tsung Ping.

Lamaury dévalait l'escalier, le professeur Ping à ses trousses.

— Les retrouver, avant qu'il ne soit trop tard !

Émilie Lamaury et Jou Tsung Ping couraient, rue Hautefeuille. Ping essayait d'abriter son amie sous son parapluie. Un métro ! Vite ! Ils s'engouffrèrent dans la station Saint-Michel.

— Émilie ! Arrêtez ! Cela n'a aucun sens ! Le bois est immense. Nous ne les trouverons jamais !

— Si ! Je sais où ils sont !

Sur le palier, Alfred, penché sur la rampe d'escalier, criait :

— Madame, votre parapluie ! Madame, vos pilules !

46

Comme un scarabée sur le dos

Roxanne se tenait dans le noir. Elle avait écarté le rideau du salon et regardait à travers la vitre.

— Quel temps pourri !

La pluie crépitait sur les trottoirs. Des passants se dépêchaient. Certains s'affublaient de couvre-chefs faits de journaux ou de sacs. Les voitures laissaient leurs sillages sur la chaussée détrempée et défilaient avec des chuintements humides. Roxanne Mathoss se cala dans un fauteuil, chargea une Camel dans son interminable porte-cigarette et commença à fumer rêveusement. Son portable tinta. Léopold lui envoyait un texto. Il était sur les traces de Camille et de Yu, en route pour le bois de Vincennes. Il y avait un truc qui clochait. Où était Mister Fang ? Il aurait dû filer Camille. Elle se mordit les lèvres. Trop tard pour reculer maintenant. Pourvu que le mauvais temps ne fasse pas tout rater. Une demi-heure s'écoula. Roxanne reçut un autre message. La Belette venait d'apercevoir Fang et Émilie qui pénétraient dans le bois de Vincennes. La mère n'était pas prévue au programme. Qu'allait-on en faire ?

Camille et Yu valsaient au milieu de la plaine. Le musicien était parti. Ils n'avaient pas besoin de musique. Au-dessus d'eux, attaché à la taille de Ming, le cerf-volant vrombissait. Ils étaient pieds nus. Camille regardait parfois les pieds boueux de son compagnon. Elle les trouvait beaux. Elle les aimait nus. Elle surprit le regard de Yu admirant ses ongles carmin pataugeant dans les flaques. Ils rirent et se serrèrent plus fort.

Au milieu d'un chemin, Émilie martelait la poitrine de Jou Tsung Ping de ses poings en criant.

— Émilie ! Ça suffit !

Elle continua de plus belle.

Ping la gifla. Elle saignait de la lèvre et le regardait, hagarde et interloquée. Elle s'essuya.

— Je suis désolé, Émilie ! Vraiment désolé !

— Vous avez eu raison. Ça va mieux maintenant.

Ils reprirent leur marche, moins rapide cette fois-ci.

— On arrive bientôt, dit-elle.

Alfred courait dans la ville.

— Madame ! Vos pilules ! Madame ! Vos pilules !

Il avait syntonisé la fréquence GPS de la montre d'Émilie et se dirigeait vers elle avec une précision balistique. Il serrait dans sa main une boîte de carton. Les robots avaient toujours l'air ridicule quand ils couraient. On n'avait pas réussi à mettre leur démarche au point. Alfred aurait dû se méfier. Cette bande de chenapans, il la connaissait. Ces adolescents, traîneurs, en mal de mauvais coups, l'aperçurent, se ruèrent sur lui. Il fut jeté à terre, gisant sur le dos. Il ne pouvait se relever. Il agitait ses membres comme un scarabée à l'agonie. Les voyous tournaient autour de lui, se moquant, grimaçant, imitant son déhanchement grotesque, sa diction métallique, répétant l'injonction pathétique :

— Madame ! Vos pilules ! Madame ! Vos pilules !

Ils avisèrent un chien rachitique traversant la rue, la queue basse. Ils abandonnèrent Alfred et se précipitèrent vers le chien qui fuyait. Des casseroles ! On allait l'orner de gamelles ! Ça serait vraiment drôle.

Alfred se débattait en vain. Il ne voyait que le ciel et la trace d'Émilie dans sa vision synthétique. La fourrière allait passer. On achevait les automates inutiles. Il serait recyclé. Il perçut une fréquence amie. Quelque chose s'approchait. Cela n'avait pas de vibrations hostiles. Il entendait maintenant un pas qu'il connaissait. Un robot s'agenouilla près de lui. C'était un modèle plus récent. Ils pouvaient communiquer. Ils étaient compatibles. L'inconnu roula son ami sur le ventre. Alfred se tenait sur les mains et les genoux. Il vit son sauveteur, abaissé à son niveau. Celui-ci pleurait et souriait à la fois. Ces androïdes étaient vraiment mal ajustés. Il y avait encore bien des progrès à faire. Le nouvel arrivant prit de l'eau dans le caniveau. Il traça des larmes sur les joues de son compagnon. Alfred se mira dans une flaque et sourit. Il se releva et embrassa son camarade. La boîte de médicaments gisait sur le trottoir, les pilules écrasées. Ils se quittèrent. Alfred se remit en route. Ses circuits avaient été endommagés. Il se sentit envahi d'une rage maudite. Un liquide de refroidissement s'échappait de sa bouche, semblable à de la bave.

— Madame ! J'arrive ! Madame, ne vous inquiétez pas ! Madame !

Yu et Camille tournoyaient dans le noir. Du sud, de l'est, de l'ouest, Léopold, Alfred, Émilie et le professeur Ping convergeaient vers eux.

47

Vodor

Valenciennes, l'hôtel de ville, une dentelle de pierre sur une place d'Armes désolée. L'horloge monumentale venait de sonner minuit. Seule une fenêtre demeurait éclairée. Le président Vodor repoussa une mèche qui lui tombait dans l'œil et alluma une énième cigarette. Devait-il être fier de lui? Le produit national brut, ce diplodocus des indicateurs économiques, ne se portait pas si mal, le bien-être intérieur net était en forte augmentation, le taux de chômage demeurait à quatre pour cent, le Service du travail obligatoire en Chine y étant pour quelque chose, l'indice de jouissance pondéré affichait, hélas, une légère baisse. La Bourse était à la hausse. Vodor avait abandonné le «bonheur national brut», préconisé par le roi du Bhoutan, Jigme Singye Wangchuck, dès 1972, il y avait cinquante-huit ans déjà, et que Sophie Lalonde, la présidente déchue, avait cru bon instaurer.

Vodor avait réussi, en peu de temps, à faire sortir la France d'une déchéance économique sans précédent. Les suicides se comptaient par milliers. Il avait changé tout cela. Les tickets de rationnement avaient disparu. Il avait fait alliance avec le diable, certes, mais on ne mourait plus de faim dans Paris. L'Allemagne et l'Angleterre, fières comme Artaban, étaient en train de succomber à la famine et à la guerre civile. Un jour, on comprendrait, on reconnaîtrait sa place dans l'histoire. Il avait sauvé les meubles. Et puis, il ne fallait pas oublier que, deux ans plus tôt, la Chine, avec ses généreuses subventions aux millions de chômeurs, avait écarté l'anarchie. Vodor s'était attribué les pleins pouvoirs. Il avait maté les traîtres et les séditieux. Certes, quelques faux culs pourraient blâmer sa Police aux questions magrébines (PQM), mais à part cela il n'avait pas grand-chose à se reprocher. Il essayait de tirer le mieux possible son épingle du jeu. Il y arrivait parfois. Il avait connu un seul échec majeur : son mémorandum en cinq points pour obtenir une collaboration politique sincère avait été rejeté fort cavalièrement.

Ses relations avec Fang devenaient de plus en plus tendues. Le perfide professeur l'enroulait dans sa toile. Il le sentait. Mais que faire ? Son nouveau Musée du Champ-de-Mars allait attirer des millions de visiteurs. La résistance, elle, était un folklore qu'il pouvait endurer, l'aiguillon d'une guêpe qui le tenait éveillé.

Il n'y avait aucun doute, il pouvait se regarder dans la glace sans rougir.

48

Arrêtez ! Chiens !

La rosée de l'aurore avait détruit la finesse de leur odorat. Ce matin-là, au bois de Vincennes, les chiens allaient, chacun à son allure. Les animaux fauves ou noirs, les bêtes puantes n'avaient qu'à se cacher. La meute du président Vodor s'en venait. Godefroy de Grand Pré, le maître d'équipage, avait suivi la voie d'un cerf, accompagné de piqueurs, de valets et de la meute de ses limiers. De Grand Pré détestait chasser à des heures impossibles. Il fallait cependant obéir à Vodor. À l'aube et après la terrible tempête de la veille, les pistes détrempées n'avaient recelé que peu d'odeurs. Cela avait mal commencé, un fiasco ridicule. Les chiens étaient partis, aux abois, poursuivant une chienne errante en chaleur. Puis on avait sorti le cerf de ses demeures. Longtemps, il avait semblé voler parmi les arbres. On l'avait malmené, finalement acculé. Les veneurs avaient sonné l'hallali. On avait servi l'animal dans les règles, au couteau, au défaut de l'épaule. La bête avait été défaite. Il ne restait que son panache. Ça avait été une bonne battue. On avait corné, de fort loin, la fanfare de l'animal, les adieux des maîtres et des piqueurs. Les chiens étaient repus : ils avaient eu droit à la curée et au carnage.

Godefroy cheminait sur son bel étalon. Protus, son limier favori, était à ses côtés, la meute derrière. Les chevaux allaient l'amble, de la vapeur sortait de leurs naseaux. Protus fit halte, il avait éventé quelque chose. Godefroy cria :

— Arrêtez ! Chiens !

Les animaux s'immobilisèrent. Alors, soudain, au milieu de la plaine, il les vit. Ils étaient là, tous.

49

TABLEAU DE CHASSE

Ils étaient tous étendus sur l'herbe, dans la rosée, comme un tableau de chasse. Sauf Alfred, le robot. Yu et Camille se tenaient enlacés. Quelques fils de cuivre fondu leur entouraient la taille. La foudre avait laissé sur leurs joues des marques noires. Ping et Léopold étaient éloignés de trente pas, comme s'ils s'étaient livrés à un duel ultime. Leurs pistolets glissaient de leurs mains. Francœur avait une tache rouge au cœur, ses yeux ouverts fixaient là-haut, très haut, des cirrus qu'il ne pouvait plus voir. Ping avait été touché au cou. Face dans la boue, il baignait dans une mare de sang que des corbeaux buvaient avec avidité. Émilie, non loin, semblait dormir, la tête sur son bras replié. Son cœur ne battrait plus. De sa main s'échappait une boîte de pilules, vide. Dans cette plaine de mort, seul le robot bougeait. Assis, il grattait une flaque boueuse. Un front chaud et humide s'avançait. Fernand, le médecin légiste, sentit son souffle tiède sur son visage. De la terre et de l'herbe plus froides, lentement, un brouillard se levait, s'épaississait. Il avait maintenant envahi la clairière. Fernand avait rempli son rapport. Il s'adossa à un arbre. Si au moins cette marée cotonneuse pouvait tout effacer, pour toujours. Fini la recherche, l'obsession des traces, plus de traces. L'amnésie de l'espace. Le repos, éternel. Et cette concession de l'île Saint-Louis, ce corps étranger que rejetait la France.

N'avaient-ils pas compris, eux, les autres, les étrangers, que le temps des murailles, des murs et des frontières était révolu ? Que jamais rien d'essentiel ne serait concédé ? Que même s'ils occupaient l'espace, jamais ils n'occuperaient le temps, le temps fantasmé de l'histoire française ? Que la mémoire restait debout quand les hommes étaient fauchés, que la mort des uns rendait la vie aux autres, que le sang de la haine se gonflait dans les plaies, que dans le désespoir même un jour l'espoir naîtrait ? Alfred passait un doigt fangeux sur son visage. Il semblait se dessiner des peintures de guerre. Il prenait cette terre et cette eau emmêlées. La foudre avait calciné deux grands chênes. La scène disparut dans l'haleine des brumes.

Thomas Andrew, *The Tomb of Tusitala, the grave of Robert Louis Stevenson at Apia, Samoa.*

Requiem

Under the wide and starry sky,
Dig the grave and let me lie,
Glad did I live and gladly die,
And I laid me down with a will.

This be the verse you grave for me :
Here he lies where he longed to be,
Home is the sailor, home from sea,
And the hunter home from the hill.

Table des matières

Fiction
aux Éditions Triptyque

Allaire, Camille. *Celle qui manque* (nouvelles), 2010.
Allard, Francine. *Les mains si blanches de Pye Chang* (roman), 2000.
Andersen, Marguerite. *La soupe* (roman), 1995.
Anonyme. *La ville: Vénus et la mélancolie* (récit), 1981.
Arbour, Marie-Christine. *Drag* (roman), 2011.
Arsenault, Mathieu. *Album de finissants* (récit), 2004.
Arsenault, Mathieu. *Vu d'ici* (roman), 2008.
Bacot, Jean-François. *Ciné die* (récits), 1993.
Beaudoin, Daniel-Louis. *Portrait d'une fille amère* (roman), 1994.
Beaudoin, Myriam. *Un petit bruit sec* (roman), 2003.
Beaudry, Jean. *L'amer Atlantique* (roman épistolaire), 2011.
Beausoleil, Jean-Marc. *Utopie taxi* (roman), 2010.
Beausoleil, Jean-Marc. *Blanc Bonsoir* (roman), 2011.
Beccarelli Saad, Tiziana. *Les passantes* (récits), 1986.
Beccarelli Saad, Tiziana. *Vers l'Amérique* (roman), 1988.
Beccarelli Saad, Tiziana. *Les mensonges blancs* (récits), 1992.
Benoit, Mylène. *Les jours qui penchent* (roman), 2011.
Bensimon, Philippe. *Tableaux maudits* (roman), 2007.
Bensimon, Philippe. *La Citadelle* (récit), 2008.
Bereshko, Ludmilla. *Le colis* (récits), 1996.
Berg, R.-J. *D'en haut* (proses), 2002.
Bessens, Véronique. *Contes du temps qui passe* (nouvelles), 2007.
Bibeau, Paul-André. *Le fou de Bassan* (récit), 1980.
Bibeau, Paul-André. *Figures du temps* (récit), 1987.
Bioteau, Jean-Marie. *La vie immobile* (roman), 2003.
Blanchet, Alain. *La voie d'eau* (récit), 1995.
Blot, Maggie. *Plagiste. Dormir ou esquisser* (récit), 2007.
Blouin, Lise. *L'absente* (roman), 1993.
Blouin, Lise. *Masca ou Édith, Clara et les autres* (roman), 1999.
Blouin, Lise. *L'or des fous* (roman), 2004.
Boissé, Hélène. *Tirer la langue à sa mère* (récits), 2000.
Boisvert, Normand. *Nouvelles vagues pour une époque floue* (récits), 1997.
Bouchard, Camille. *Les petits soldats* (roman), 2002.
Bouchard, Reynald. *Le cri d'un clown* (théâtre), 1989.
Boulanger, Patrick. *Les restes de Muriel* (roman), 2007.
Boulanger, Patrick. *Selon Mathieu* (roman), 2009.
Bourgault, Marc. *L'oiseau dans le filet* (roman), 1995.
Bourque, Paul-André. *Derrière la vitre* (scénario), 1984.
Brunelle, Michel. *Confidences d'un taxicomane* (récit), 1998.
Bunkoczy, Joseph. *Ville de chien* (roman), 2007.
Bush, Catherine. *Les règles d'engagement* (roman), 2006.

Butler, Juan. *Journal de Cabbagetown* (roman), 2003.
Caccia, Fulvio. *La ligne gothique* (roman), 2004.
Caccia, Fulvio. *La coïncidence* (roman), 2005.
Caccia, Fulvio. *Le secret* (roman), 2006.
Caccia, Fulvio. *La frontière tatouée* (roman), 2008.
Campeau, Francine. *Les éternelles fictives ou Des femmes de la Bible* (nouvelles), 1990.
Caron, Danielle. *Le couteau de Louis* (roman), 2003.
Chabin, Laurent. *Écran total* (roman), 2006.
Chabin, Laurent. *Corps perdu* (roman), 2008.
Chabot, François. *La mort d'un chef* (roman), 2004.
Champagne, Louise. *Chroniques du métro* (nouvelles), 1992.
Chatillon, Pierre. *L'enfance est une île* (nouvelles), 1997.
Clément, Michel. *Le maître S* (roman), 1987.
Clément, Michel-E. *Ulysse de Champlemer* (roman), 1997.
Clément, Michel-E. *Phée Bonheur* (roman), 1999.
Clément, Michel-E. *Sainte-Fumée* (roman), 2001.
Cliche, Anne-Élaine. *La pisseuse* (roman), 1992.
Cliche, Anne-Élaine. *La Sainte Famille* (roman), 1994.
Cliche, Mireille. *Les longs détours* (roman), 1991.
Cloutier, Annie. *Ce qui s'endigue* (roman), 2009.
Cloutier, Annie. *La chute du mur* (roman), 2010.
Collectif. *La maison d'éclats* (récits), 1989.
Corbeil, Marie-Claire. *Tess dans la tête de William* (récit), 1999.
Côté, Bianca. *La chienne d'amour* (récit), 1989.
Côté, Johanne Alice. *Mégot mégot petite mitaine* (nouvelles), 2008.
Daigle, Jean. *Un livre d'histoires* (récits), 1996.
Daigneault, Nicolas. *Les inutilités comparatives* (nouvelles), 2002.
Dandurand, Anne. *Voilà, c'est moi : c'est rien, j'angoisse* (récits), 1987.
Daneau, Robert. *Le jardin* (roman), 1997.
Depierre, Marie-Ange. *Une petite liberté* (récits), 1989.
Déry-Mochon, Jacqueline. *Clara* (roman), 1986.
Désalliers, François. *Un monde de papier* (roman), 2007.
Désaulniers, Lucie. *Occupation double* (roman), 1990.
Desfossés, Jacques. *Tous les tyrans portent la moustache* (roman), 1999.
Desfossés, Jacques. *Magma* (roman), 2000.
Desrosiers, Sylvie. *Bonne nuit, bons rêves, pas de puces, pas de punaises* (roman), 1998 (1995).
Des Rosiers, Joël. *Un autre soleil* (nouvelle), 2007.
Desruisseaux, Pierre. *Pop Wooh, le livre du temps, Histoire sacrée des Mayas quichés* (récit), 2002.
Diamond, Lynn. *Nous avons l'âge de la Terre* (roman), 1994.
Diamond, Lynn. *Le passé sous nos pas* (roman), 1999.
Diamond, Lynn. *Le corps de mon frère* (roman), 2002.
Diamond, Lynn. *Leslie Muller ou le principe d'incertitude* (roman), 2011.
Doucet, Patrick. *Foucault et les extraterrestres* (roman), 2010.

Dugué, Claudine. *Poisons en fleurs* (nouvelles), 2009.
Duhaime, André. *Clairs de nuit* (récits), 1988.
Dupuis, Hervé. *Voir ailleurs* (récit), 1995.
Dussault, Danielle. *Le vent du monde* (récits), 1987.
Forand, Claude. *Le cri du chat* (polar), 1999.
Forest, Jean. *Comme c'est curieux… l'Espagne!* (récit), 1994.
Forest, Jean. *Jean Forest chez les Anglais* (récit), 1999.
Fortin, Julien. *Chien levé en beau fusil* (nouvelles), 2002.
Fournier, Danielle. *Les mardis de la paternité* (roman), 1983.
Fournier, Danielle et Coiteux, Louise. *De ce nom de l'amour* (récits), 1985.
Francœur, Louis et Marie. *Plus fort que la mort* (récit-témoignage), 2000.
Fugère, Jean-Paul. *Georgette de Batiscan* (roman), 1993.
Gagnon, Alain. *Lélie ou la vie horizontale* (roman), 2003.
Gagnon, Alain. *Jakob, fils de Jakob* (roman), 2004.
Gagnon, Alain. *Le truc de l'oncle Henry* (polar), 2006.
Gagnon, Daniel. *Loulou* (roman), 2002 (1976).
Gagnon, Lucie. *Quel jour sommes-nous?* (récits), 1991.
Gagnon, Marie-Noëlle. *L'hiver retrouvé* (roman), 2009.
Gauthier, Yves. *Flore ô Flore* (roman), 1993.
Gélinas, Pierre. *La neige* (roman), 1996.
Gélinas, Pierre. *Le soleil* (roman), 1999.
Gervais, Bertrand. *Ce n'est écrit nulle part* (récits), 2001.
Giguère, Diane. *La petite fleur de l'Himalaya* (roman), 2007.
Gobeil, Pierre. *La mort de Marlon Brando* (roman), 1989 (1998).
Gobeil, Pierre. *La cloche de verre* (récits), 2005.
Gobeil, Pierre. *Le jardin de Peter Pan* (roman), 2009.
Gosselin, Michel. *La fin des jeux* (roman), 1986.
Gosselin, Michel. *La mémoire de sable* (roman), 1991.
Gosselin, Michel. *Tête première* (roman), 1995.
Gosselin, Michel. *Le repos piégé* (roman), 2000 (1988).
Gray, Sir Robert. *Mémoires d'un homme de ménage en territoire ennemi* (roman), 1998.
Guénette, Daniel. *J. Desrapes* (roman), 1988.
Guénette, Daniel. *L'écharpe d'Iris* (roman), 1991.
Guénette, Daniel. *Jean de la Lune* (roman), 1994.
Harvey, François. *Zéro-Zéro* (roman), 1999.
Jacob, Diane. *Le vertige de David* (roman), 2006.
Julien, Jacques. *Le divan* (récits), 1990.
Julien, Jacques. *Le cerf forcé* (roman), 1993.
Julien, Jacques. *Le rêveur roux: Kachouane* (roman), 1998.
Julien, Jacques. *Big Bear, la révolte* (roman), 2004.
Kimm, D. *Ô Solitude!* (récits), 1987.
Lacasse, Lise. *L'échappée* (roman), 1998.
Laferrière, Alexandre. *Début et fin d'un espresso* (roman), 2002.
Laferrière, Alexandre. *Pour une croûte* (roman), 2005.
Lamontagne, Patricia. *Somnolences* (roman), 2001.

Landry, François. *La tour de Priape* (récit), 1993.
Landry, François. *Le comédon* (roman), 1997 (1993).
Landry, François. *Le nombril des aveugles* (roman), 2001.
Langlois, Fannie. *Une princesse sur l'autoroute* (roman), 2010.
LaRochelle, Luc. *Amours et autres détours* (récits), 2002.
LaRochelle, Luc. *Hors du bleu* (nouvelles), 2009.
Lavallée, Dominique. *Étonnez-moi, mais pas trop!* (nouvelles), 2004.
Lavallée, François. *Le tout est de ne pas le dire* (nouvelles), 2001.
Laverdure, Bertrand. *Gomme de xanthane* (roman), 2006.
Leblanc, François. *Quinze secondes de célébrité* (roman), 2009.
Lebœuf, Gaétan. *Bébé... et bien d'autres qui s'évadent* (roman), 2007.
Ledoux, Lucie. *Un roman grec* (roman), 2010.
Leduc-Leblanc, Jérémie. *La légende des anonymes* (nouvelles), 2011.
Lefebvre, Marie. *Les faux départs* (roman), 2008.
Lejeune, Maxime. *Le traversier* (roman), 2010.
Le Maner, Monique. *Ma chère Margot* (roman), 2001.
Le Maner, Monique. *La dérive de l'Éponge* (roman), 2004.
Le Maner, Monique. *Maman goélande* (roman), 2006.
Le Maner, Monique. *La dernière enquête* (polar), 2008.
Le Maner, Monique. *Roman 41* (roman), 2009.
Lemay, Grégory. *Le sourire des animaux* (roman), 2003.
Lepage, Sophie. *Lèche-vitrine* (roman), 2005.
Lépine, Hélène. *Kiskéya* (roman), 1996.
Lépine, Hélène. *Le vent déporte les enfants austères* (récit), 2006.
Lévy, Bernard. *Comment se comprendre autrement que par erreur* (dialogues), 1996.
Lévy, Bernard. *Un sourire incertain* (récits), 1996.
Locas, Janis. *La maudite Québécoise* (roman), 2010.
Maes, Isabelle. *Lettres d'une Ophélie* (récits), 1994.
Manseau, Pierre. *L'île de l'Adoration* (roman), 1991.
Manseau, Pierre. *Quartier des hommes* (roman), 1992.
Manseau, Pierre. *Marcher la nuit* (roman), 1995.
Manseau, Pierre. *Le chant des pigeons* (nouvelles), 1996.
Manseau, Pierre. *La cour des miracles* (roman), 1999.
Manseau, Pierre. *Les bruits de la terre* (récits), 2000.
Manseau, Pierre. *Ragueneau le Sauvage* (roman), 2007.
Manseau, Pierre. *Les amis d'enfance* (roman), 2008.
Manseau, Martin. *J'aurais voulu être beau* (récits), 2001.
Marquis, André. *Les noces de feu* (roman), 2008.
Martel, Jean-Pierre. *La trop belle mort* (roman), 2000.
Martin, Daniel. *La solitude est un plat qui se mange seul* (nouvelles), 1999.
McComber, Éric. *Antarctique* (roman), 2002.
McComber, Éric. *La mort au corps* (roman), 2005.
Ménard, Marc. *Itinérances* (roman), 2001.
Messier, Judith. *Jeff!* (roman), 1988.
Michaud, Nando. *Le hasard défait bien les choses* (polar), 2000.
Michaud, Nando. *Un pied dans l'hécatombe* (polar), 2001.

Michaud, Nando. *Virages dangereux et autres mauvais tournants* (nouvelles), 2003.
Michaud, Nando. *La guerre des sexes ou Le problème est dans la solution* (polar), 2006.
Monette, Pierre. *Trente ans dans la peau* (roman), 1990.
Moreau, François. *La bohème* (roman), 2009.
Moutier, Maxime-Olivier. *Potence machine* (récits), 1996.
Moutier, Maxime-Olivier. *Risible et noir* (récits), 1998 (1997).
Moutier, Maxime-Olivier. *Marie-Hélène au mois de mars* (roman), 2001 (1998).
Neveu, Denise. *De fleurs et de chocolats* (récits), 1993.
Neveu, Denise. *Des erreurs monumentales* (roman), 1996.
Nicol, Patrick. *Petits problèmes et aventures moyennes* (récits), 1993.
Nicol, Patrick. *Les années confuses* (récits), 1996.
Nicol, Patrick. *La blonde de Patrick Nicol* (roman), 2005.
Noël, Denise. *La bonne adresse* suivi de *Le manuscrit du temps fou* (récits), 1995.
O'Neil, Huguette. *Belle-Moue* (roman), 1992.
O'Neil, Huguette. *Fascinante Nelly* (récits), 1996.
Ory, Marc. *Zanipolo* (roman), 2010.
Ory, Marc. *La concession* (roman), 2011.
Painchaud, Jeanne. *Le tour du sein* (récits), 1992.
Paquette, André. *La lune ne parle pas* (récits), 1996.
Paquette, André. *Les taches du soleil* (récits), 1997.
Paquette, André. *Première expédition chez les sauvages* (roman), 2000.
Paquette, André. *Parcours d'un combattant* (roman), 2002.
Paré, Marc-André. *Chassés-croisés sur vert plancton* (récits), 1989.
Paré, Marc-André. *Éclipses* (récits), 1990.
Pascal, Gabrielle. *L'été qui dura six ans* (roman), 1997.
Pascal, Gabrielle. *Le médaillon de nacre* (roman), 1999.
Patenaude, Monique. *Made in Auroville, India* (roman), 2009 (2004).
Pépin, Pierre-Yves. *La terre émue* (récits), 1986.
Pépin, Pierre-Yves. *Le diable au marais* (contes), 1987.
Perreault, Guy. *Ne me quittez pas!* (récits), 1998.
Perreault, Guy. *Les grands brûlés* (récits), 1999.
Piuze, Simone. *Blue Tango* (roman), 2011.
Poitras, Marie Hélène. *Soudain le Minotaure* (roman), 2009 (2007, 2002).
Poitras, Marie Hélène. *La mort de Mignonne et autres histoires* (nouvelles), 2008 (2005).
Poulin, Aline. *Dans la glace des autres* (récits), 1995.
Quintin, Aurélien. *Barbe-Rouge au Bassin* (récits), 1988.
Quintin, Aurélien. *Chroniques du rang IV* (roman), 1992.
Raymond, Richard. *Morsures* (nouvelles), 1994.
Renaud, France. *Contes de sable et de pierres* (récits), 2003.
Renaud, Thérèse. *Subterfuges et sortilèges* (récits), 1988.
Ricard, André. *Les baigneurs de Tadoussac* (récit), 1993.
Ricard, André. *Une paix d'usage. Chronique du temps immobile* (récit), 2006.

Robitaille, Geneviève. *Chez moi* (récit), 1999.
Robitaille, Geneviève. *Mes jours sont vos heures* (récit), 2001.
Rompré-Deschênes, Sandra. *La maison mémoire* (roman), 2007.
Rousseau, Jacques. *R.O.M. Read Only Memory* (polar), 2010.
Saint-Pierre, Jacques. *Séquences ou Trois jours en novembre* (roman), 1990.
Schweitzer, Ludovic. *Vocations* (roman), 2003.
Shields, Carol. *Miracles en série* (nouvelles), 2004.
Soudeyns, Maurice. *Visuel en 20 tableaux* (proses), 2003.
St-Onge, Daniel. *Llanganati ou La malédiction de l'Inca* (roman), 1995.
St-Onge, Daniel. *Trekking* (roman), 1998.
St-Onge, Daniel. *Le gri-gri* (roman), 2001.
St-Onge, Daniel. *Bayou Mystère* (roman), 2007.
Strano, Carmen. *Les jours de lumière* (roman), 2001.
Strano, Carmen. *Le cavalier bleu* (roman), 2006.
Tétreau, François. *Le lai de la clowne* (récit), 1994.
Théberge, Gaston. *Béatrice, Québec 1918* (roman), 2007.
Thibault, André. *Schoenberg* (polar), 1994.
To, My Lan. *Cahier d'été* (récit), 2000.
Turcotte, Élise. *La mer à boire* (récit), 1980.
Turgeon, Paule. *Au coin de Guy et René-Lévesque* (polar), 2003.
Vaillancourt, Claude. *L'eunuque à la voix d'or* (nouvelles), 1997.
Vaillancourt, Claude. *Le conservatoire* (roman), 2005.
Vaillancourt, Claude. *Les onze fils* (roman), 2000.
Vaillancourt, Claude. *Réversibilité* (roman), 2005.
Vaillancourt, Marc. *Le petit chosier* (récits), 1995.
Vaillancourt, Marc. *Un travelo nommé Daisy* (roman), 2004.
Vaillancourt, Marc. *La cour des contes* (récits), 2006.
Vaillancourt, Yves. *Winter et autres récits* (récits), 2000.
Vaïs, Marc. *Pour tourner la page* (nouvelles), 2005 .
Valcke, Louis. *Un pèlerin à vélo* (récit), 1997.
Vallée, Manon. *Celle qui lisait* (nouvelles), 1998.
Varèze, Dorothée. *Chemins sans carrosses* (récits), 2000.
Villeneuve, Marie-Paule. *Derniers quarts de travail* (nouvelles), 2004.
Vincent, Diane. *Épidermes* (polar), 2007.
Vincent, Diane. *Peaux de chagrins* (polar), 2009.
Vollick, L.E. *Les originaux* (roman), 2005.
Wolf, Marc-Alain. *Kippour* (roman), 2006.
Wolf, Marc-Alain. *Sauver le monde* (roman), 2009.

Tous les livres des Éditions Triptyque sont désormais imprimés sur du papier 100 % recyclé postconsommation (exempt de fibres issues des forêts anciennes) et traité sans chlore.

L'impression de *La concession* a permis de sauvegarder l'équivalent de 9 arbres de 15 à 20 centimètres de diamètre et de 20 mètres de haut. Ces bienfaits écologiques sont fondés sur les recherches effectuées par l'Environmental Defense Fund et d'autres membres du Paper Task Force.

Québec, Canada
2011